Daniel Meurois

# *Le Non désiré*

*… rencontre avec l'enfant qui n'a pas pu venir*

Éditions Le Perséa
Montréal

Éditions le Perséa - Case Postale 382
Succursale Place du Parc
Montréal (Québec) Canada H2X 4A5
Courrier électronique : persea@videotron.ca
Site internet :
www.danielmeurois-givaudan.alchymed.com

Illustration de couverture : Anne Brown. "Tombé du nid". - Superstock
Infographie de couverture : Typoscript - Montréal
Saisie et maquette informatique du texte : Lucie Bellemare
© Éditions Le Perséa - 3e trimestre 2002
Gouvernement du Québec - Programme de crédit d'impôt pour l'édition de livres - Gestion SODEC
Tous droits réservés pour tous pays. ISBN : 2-922397-14-9

*À toutes celles et à tous ceux qui
n'ont pas pu, qui n'ont pas su... et
qui en gardent encore une blessure
au cœur*

# Pour une mise en cœur

Oui, pour une mise en cœur... Voilà les premiers mots qui sont venus se glisser directement sous ma plume en préambule à cet ouvrage. Comment, en effet, aborder d'une autre façon un témoignage de cette nature ?

Rendre compte de l'itinéraire intérieur de ceux qui vivent ce qu'on appelle pudiquement l'interruption volontaire de grossesse, parler du questionnement que suscitent les fausses-couches et les malformations, c'est assurément emprunter soi-même une route difficile.

De fait, tout au long de la rédaction des presque deux-cents pages du "Non désiré", j'ai constamment eu la sensation de faire de l'équilibre sur une corde tendue au-dessus du vide ou, en d'autres termes et sans mauvais jeu de mots, de "marcher sur des œufs". Lorsque l'on traite de thèmes aussi intimes que ceux exposés dans ce livre, on prend le risque de toucher chez nombre de lecteurs des blessures profondes ou même encore à vif.

Si je me suis cependant lancé dans cette direction, c'est parce qu'il m'est apparu évident que l'on ne traite pas une plaie ou une souffrance en détournant simplement notre regard de sa réalité. On la cicatrise, on la guérit, on la dépasse en osant se placer face à elle sans la nier, sans en avoir peur. On ne la traite, certes pas, par l'oubli ni par les lamentations et la pitié que celles-ci induisent mais, au contraire, par sa compréhension et par l'apprentissage de la compassion.

Pour que ce témoignage soit réalisable, il était, bien sûr, indispensable qu'une main me soit tendue "d'en-haut". Il fallait qu'il y ait un ou des êtres qui me prêtent leur concours, c'est-à-dire qui m'acceptent comme spectateur respectueux de leurs faiblesses et de leurs forces tout au long de leur expérience de rejet. Il fallait surtout une âme mûre et beaucoup plus lucide que la moyenne qui m'ouvre à sa vie intime, qui m'invite à la saisir à la façon d'un fil conducteur.

Celle-ci s'est présentée à moi sous le nom de Florence. Je l'ai suivie entre les mondes, hors de mon corps et selon le même mode rigoureux de travail que la Rebecca des "Neuf Marches", il y a quelques années.

Ce chemin de complicité, pas toujours facile à parcourir, s'est étiré sur un peu moins de six mois... Le temps qu'il lui fallait, à elle, pour fleurir à nouveau, et le temps aussi qui m'était nécessaire, à moi, pour trouver les mots justes.

Car, ainsi que vous en jugerez, je me suis appliqué, comme toujours, à la plus grande des fidélités dans la retranscription des propos rapportés dans les pages qui suivent. Ceux-ci ne prétendent pas faire œuvre littéraire. C'est d'abord le témoin attentif qui s'est exprimé à travers eux. Je les ai surtout voulu les plus simples et les plus directs possible, tels qu'ils sont sortis du cœur qui les formulait.

Que l'on ne s'y trompe pourtant pas, derrière leur apparent dépouillement se cachent souvent des vérités bien plus profondes qu'il n'y paraît... Des vérités qui peuvent demander une certaine gymnastique intérieure ainsi que des horizons sans frontière, si on veut vraiment pénétrer leur sens.

Parler de la problématique des avortements, de l'amertume des fausses-couches et des interrogations souvent douloureuses de tout ce qui est lié aux naissances difficiles exige de l'authenticité, de la précision, du concret et, évidemment, une bonne dose d'amour. Ce sont là les outils avec lesquels j'ai travaillé.

La précision et le sens du concret ne sont absolument pas, en ce qui me concerne, incompatibles avec les notions métaphysiques. Il n'était, par ailleurs, pas concevable ni souhaitable de contourner ces dernières dans leur aspect parfois déstabilisant, si je voulais pouvoir offrir une vision des choses sortant du traditionnel contexte médical, social, psychologique, religieux ou simplement moral.

J'ai voulu saisir la vie le plus près possible de son essence, dans ces mondes que l'on s'acharne officiellement à nier mais où les vraies cartes se distribuent avec leurs comment et leurs pourquoi.

Il me faut enfin remercier tout particulièrement ici Florence pour la simplicité, le naturel et la force avec lesquels elle s'est livrée. C'est incontestablement grâce à elle et à son intensité que j'ai l'espoir d'avoir fait œuvre novatrice et utile avec "Le Non désiré".

Je sais en cet instant que son âme se joint à la mienne afin que de nouvelles fenêtres de compréhension, de respect et de tendresse s'ouvrent sur la Vie.

## *Un matin comme les autres...*

Un matin de novembre, quelque part dans une ville du sud de la France... Le ciel est d'un petit bleu délavé et la fraîcheur de l'air semble anesthésier les rares passants qui traînent sur les trottoirs. Tout à l'heure encore, il y avait un léger brouillard et on distinguait à peine l'extrémité du stationnement de l'hôpital.

Quant à moi, j'attends. Oh, à franchement parler, je n'attends pas vraiment, non... Je veux dire, pas dans mon corps de chair. C'est celui de ma conscience, de mon âme si vous préférez, qui est venu se placer là, à un coin de rue, près d'une enseigne lumineuse rouge et blanche indiquant "Urgences".

Il n'y a pas d'urgence, pourtant, personne de blessé que je connaisse au point de m'attirer là. Personne de blessé, non... Tout au moins, en apparence.

Je sais seulement que dans quelques instants un homme et une femme vont pousser la grande porte de verre de l'hôpital, descendre les quelques marches de ciment de son perron puis rejoindre leur voiture sagement alignée auprès des autres. Ce sera un bien jeune couple, dans les toutes premières années de la vingtaine.

En vérité, de l'un comme de l'autre, j'ignore pratiquement tout. J'ai appris qu'ils sont tous deux étudiants, lui dans une discipline scientifique et elle en psychologie. Cela fait un peu moins d'un an qu'ils se connaissent. Je sais aussi qu'ils se sont rencontrés un soir de fête chez une amie commune. C'était l'Épiphanie. Il a tiré la fève, on lui a posé la couronne de carton doré sur la tête et il a dû choisir une reine.

Voilà… Cela a commencé de cette façon, comme des centaines de milliers d'autres histoires d'amour du monde. Une histoire à la fois belle et simple. Ils se sont aimés tout de suite. Un sourire, un regard… et leur vie est partie à deux cents à l'heure, dans la même direction.

Ce que je sais encore ? Oh, vraiment pas grand chose ! Simplement qu'ils ont fait comme beaucoup, qu'ils ont eu peur de ce qui leur arrivait et qu'ils ont préféré, d'un accord tacite, ne pas trop s'engager et continuer à vivre chacun de leur côté, lui dans sa chambre sur le campus universitaire et elle dans le deux-pièces meublé que ses parents peuvent encore lui payer jusqu'à l'an prochain.

Pourquoi suis-je là à les attendre, alors ? Parce que leur passion a finalement eu raison de leur prudence d'amoureux "raisonnables". Émilie - c'est son nom - s'est retrouvée enceinte, il y a deux mois. Ce n'était pas son premier amour, elle était pourtant prévenue mais…

Sitôt le choc de la nouvelle puis une sorte d'incrédulité, il y eut un début de panique. Était-ce certain ? Que fallait-il décider ?

Après la trop longue attente d'un rendez-vous médical, après la confirmation du diagnostic, enfin après deux bonnes semaines d'hésitation, la décision fut prise. Pierre, "l'ami" d'Émilie, était parfaitement d'accord. Ils ne *le* garderaient pas.

Oui, c'est pour cela que je suis là, ce matin, à les attendre à la sortie de cet hôpital. Certes pas pour aller fouiller dans les secrets de leur intimité, mais pour soulever avec pudeur et respect un autre coin du grand voile de la Vie, de cette Vie majuscule et mystérieuse qui nous dépasse encore par bien des aspects.

Dans mon attente, je pense à la délicatesse de la tâche qui m'est confiée, à ce regard si inhabituel que je vais tenter de poser sur l'autre versant de la grande scène de nos existences, là où les rôles se distribuent.

Ça y est... La grande porte de verre vient d'être poussée. Elle réfléchit un rayon de soleil et Émilie apparaît, plongeant les mains dans sa veste bleu marine alors que Pierre surgit de l'ombre, derrière elle, l'air un peu absent.

- Tiens-moi...
- Tu te sens mal ?
- Non mais tiens-moi...

Leurs voix me parviennent du dedans. Elles se veulent fermes et fortes tandis que je cesse mes réflexions pour mieux tout graver dans ma mémoire.

Émilie cherche un instant l'épaule de son compagnon mais celui-ci reste gauche. Il laisse tomber le livre qu'il tenait à la main et finalement demeure en arrière cependant qu'elle presse le pas vers leur véhicule.

- C'est toi qui conduis...

Pierre ne sait que faire. Il bredouille vaguement trois mots que je ne capte pas. À vrai dire, il paraît beaucoup plus fragile qu'elle, dans ses jeans un peu trop grands et ses grosses chaussures de sport. La voilà qui est déjà dans la voiture alors que lui ramasse pour la deuxième fois son livre. Enfin, il parvient à se mettre au volant.

- Tu me jures que tu ne te sens pas mal ?

- Non, ça va… Ramène-moi juste chez moi. Écoute, ce n'est pas si grave… Isabelle s'est fait faire ça l'an dernier. Idem pour sa cousine, d'ailleurs. Et elle, elle n'avait personne… Allez, dépêche-toi… Tu vas être en retard à tes cours.

Bref instant de silence dans l'habitacle du véhicule. Pierre et Émilie s'embrassent du bout des lèvres et voilà… Le contact est mis, le moteur ronronne, ils s'éloignent dans un crissement de pneus pour rejoindre chacun leur vie. Maintenant, ils ne sont plus que deux, c'est bien sûr…

Moi, de mon côté, je continue de rester immobile et ouvert près de l'enseigne des urgences. Comment procéder ? Ce n'est pas pour assister à cette scène peut-être touchante mais, somme toute, banale que j'ai projeté ma conscience jusqu'à ce lieu. J'ai un but : rejoindre *la présence* qui vient d'être expulsée, aspirée hors du ventre d'Émilie.

Qui est-elle et que vit-elle, *cette présence* ? Je ne peux croire qu'elle ne signifie rien ou pas grand chose, qu'elle ait surgi de nulle part puis s'en soit retournée évidemment vers ce même nulle part. Si elle pouvait me dire… me raconter son chemin, me parler de l'itinéraire inconnu de ceux qui, un jour, pour mille raisons différentes, ont vu la porte de notre monde se refermer brusquement devant eux.

Ma méthode sera simple, habiter pleinement mon âme et dilater mon cœur tout en veillant à ce que ma lucidité ne fléchisse pas. C'est de cette façon qu'avec mon corps de lumière, je me propose d'enregistrer le film du témoignage à offrir et que voici…

Pas de tension en mon être, pas même une volonté de diriger quoi que ce soit dans ce que je souhaite voir se passer. Je me laisse progressivement absorber par l'ambiance de l'hôpital, par tout ce qui bouge et qui respire intimement, non pas au-dedans de ses murs de béton, mais au-delà de ceux-ci. Derrière la lumière des blocs opératoires, derrière celle des couloirs et des chambres où l'on s'interroge.

C'est ainsi qu'il me semble m'élever dans les airs… Le grand stationnement de l'hôpital avec ses voitures endormies s'estompe doucement et je ne suis bientôt plus qu'au sein d'une lumière blanche. Cette dernière est comme une matière, j'aurais presque envie de dire… une matrice. Des formes indistinctes et timides me frôlent, des chuchotements se font entendre. Moins que des murmures… Des caresses de pensées à peine formulées, questionnantes et inquiètes.

Je me trouve à la frontière entre deux mondes. Celui que l'on dit des vivants, le nôtre, et l'autre, celui de derrière le miroir, où l'on se sent tout aussi vivant.

Je n'ai plus qu'à attendre et à espérer. Pour que le contact s'établisse, je dispose d'une possible petite clé : Je vais juste me représenter intérieurement les visages de Pierre et Émilie. Si ma démarche est juste, leur image en mon esprit sera le fil d'Ariane qui me mènera à la *présence*… ou conduira celle-ci jusqu'à moi.

- Est-ce bien vous ?
- Tu m'attendais ?

- On m'a dit que vous existiez, que vous pouviez peut-être m'aider et que...

La voix s'est arrêtée là, incertaine et comme si elle s'était elle-même soudain censurée. Je me mets alors à chercher dans la lumière jusqu'à me plonger plus encore dans ce que j'appellerais les interstices de sa substance laiteuse. Je sais que j'ai maintenant pénétré dans un espace mental, celui de l'être que je cherche et qu'il me faut apprivoiser en tendresse.

- Tu m'attendais donc ? ne puis-je m'empêcher de répéter.

Un long moment se passe puis, autour de moi, l'océan de lumière se fait un peu plus léger, moins compact.

Quelque chose en émerge alors progressivement et commence à occuper tout mon champ de vision. C'est un regard ! Un beau grand regard bleu... presque pas humain, dirait-on. À la fois très familier et totalement étranger... Je l'observe. Il essaye de sourire, cependant quelque chose se contracte en lui. Il ne le peut pas.

- Oui, il faudra m'aider, reprend la voix qui s'en dégage désormais avec précision. J'ai besoin d'aide. *On* m'a dit que je devrai aussi vous raconter mais... Je ne sais pas si je le pourrai. J'ai besoin de dormir... Dormir... Je ne sais même plus où je suis.

- Je reviendrai... Ce sera facile maintenant que nous nous connaissons un tout petit peu. Mais une seule chose me manque encore pour te retrouver plus facilement... Ton prénom.

- Mon prénom ? Disons... Disons que c'est Florence. C'est celui-là que j'ai toujours préféré porter.

Voilà... Nous en resterons là pour aujourd'hui. Je n'insisterai pas. D'ailleurs, le regard de Florence s'éteint de lui-même. Il se replie tel un éventail dans cette clarté souffrante qui nous a réunis l'espace de quelques instants.

Florence... C'est donc à toi que la Vie a confié la difficile tâche de nous guider sur le chemin de ceux que j'ai appelés les "non désirés"...

# Chapitre I

## Entre deux mondes

Je viens de laisser passer deux pleines journées. Une sorte d'intuition m'a dicté cette patience. Je sais qu'il ne faut rien brusquer car on ne pénètre pas "comme cela" au cœur du cœur d'un être, d'un seul élan, je dirais égoïstement, sous prétexte d'une bonne cause.

Mais là, je sens que c'est le moment... Une détente profonde, quelques respirations et me voilà parti sur un fil de lumière à la rencontre de Florence. C'est un fil tendu entre nos consciences respectives, une sorte de sas dans lequel je m'engouffre pour franchir instantanément cette impression de distance qui nous sépare.

- Florence?

Je m'adresse à un océan de clarté, à cet espace lumineux qui, déjà, m'entoure de toutes parts. Cependant, en même temps que je le formule, je réalise que mon appel n'a pas lieu d'être. Il est désamorcé. Le regard bleu de celle que je cherche a aussitôt occupé tout mon champ de vision.

Je voudrais m'en éloigner un peu, prendre du recul pour capter la totalité d'un visage, peut-être une silhouette. Impossible... Le regard de Florence est rivé au mien, presque intérieur à lui et je le reçois comme derrière une loupe.

- Je suis... si éparpillée, murmure la voix qui s'en dégage, si... douloureuse... Je ne sais pas comment vous dire. Je ne sais même plus si j'ai un corps.

- En tout cas, tu as des yeux, ça je peux te l'assurer !

La réflexion m'est venue d'un coup. J'en ai volontairement forcé le ton amusé pour tenter de chasser quelques nuages.

- As-tu dormi pendant tout ce temps ? Deux journées complètes, sais-tu ?

- Deux jours ? J'aurais dit... trois ou quatre heures. Il me semble que la première perception de votre présence s'est à peine éteinte en moi et que *quelqu'un* vient juste de rallumer la lumière... Mais non... Ne partez pas ! C'est si lourd d'être si seul ! Attendez au moins que je me rassemble... J'ai l'impression que mes bras et mes jambes se sont complètement dissous. C'est tellement pénible !

- As-tu mal ?

- Je ne sais pas si je peux dire que je souffre. C'est... comme une prison. Il me semble être prisonnière de ma tête, un peu comme si tout le reste n'existait pas ou était anesthésié.

- Veux-tu me raconter ? Je crois que si tu me faisais entrer dans ton histoire, cela pourrait créer un mouvement, espacer les barreaux...

- Oui, raconter... C'est cela qu'*on* m'a dit. Il faut que je me force à le faire.

- "On" ? De qui veux-tu parler, Florence ?

- De ma famille et de mes amis, de ceux qui habitent l'endroit d'où je viens. Cet endroit-là est un peu comme l'envers de la Terre, voyez-vous, comme le négatif d'une photo. Ou plutôt, ce serait le contraire qu'il faudrait dire car ce négatif-là ressemble davantage à un positif. Il est tellement plus lumineux, plus vrai ! C'est pour cela que j'ai eu l'impression de mourir quand j'ai commencé à le quitter, pour descendre…

Florence vient de s'interrompre. Je vois bien que je lui fais mettre le doigt sur sa blessure et que mon intention de la pousser à s'exprimer a peut-être été trop pressante. A-t-elle capté mes pensées ? C'est vraisemblable car elle s'empresse de reprendre.

- Non… C'est juste et bon que je parle de cela, comme cela et maintenant. Vous avez raison, il faut que je sorte de ma prison.

- Alors, peux-tu m'en dire davantage sur ce lieu, sur ta famille, sur les circonstances qui t'ont fait te rapprocher de la Terre ? Évoque tes souvenirs…

- Oh, mais ce ne sont pas des souvenirs ! C'est encore maintenant et c'est tout vivant en moi. Je ne les ai pas vraiment quittés. Ils sont là, je les devine, à deux pas ! C'est seulement moi qui me suis enfermée dans une autre réalité. J'ai commencé à descendre un escalier pour aller rejoindre votre monde et voilà que je me sens bloquée, quelque part sur une marche, entre deux univers. J'ai surtout l'impression d'avoir été trahie. C'est cela qui me fait mal et me donne la sensation de m'effriter… après tant de douceur. Je suis dissociée, voyez-vous. Oui, c'est certainement le terme qui correspond le mieux à ce que je vis. Et puis…

- Oui ?

- Et puis... Depuis que je me force à vous parler, il me semble qu'il y a une colère terrible qui monte en moi. Il y a si longtemps que je n'avais pas éprouvé cela ! J'en ai honte. Je n'y peux rien et cela me donne envie de pleurer. *Pourquoi* ont-ils fait cela ?

Florence a presque hurlé en prononçant ces mots. Tout au moins, je les reçois tel un véritable coup de poing au-dedans de moi. Leur impact crée un instant de silence et leur onde de choc se répercute aussitôt sur l'espace de lumière qui nous enveloppe. Celui-ci se fait plus terne. Simultanément, un voile se tire devant le regard de Florence et je crains que la jeune femme ne me quitte pour aller s'enfermer dans une prison intérieure plus dense encore.

- Florence ?

Elle sursaute. La pupille de ses yeux se dilate, un léger pétillement s'y glisse.

- Oui, je suis en colère ! reprend la voix au centre de mon crâne. J'ai l'impression d'une marée qui monte en moi... Je ne sais pas si c'est elle qui me fait si mal ou si c'est l'abandon de tout un beau théâtre que je m'étais fabriqué. Ça me vrille ! C'est... physique, voyez-vous !

J'aimerais pouvoir serrer Florence contre moi, ne serait-ce qu'une seconde, pour la consoler et la ramener à davantage de vie mais sa présence demeure extrêmement inconsistante.

Un regard, c'est à la fois tout et rien ! Dans l'espace où nous nous apprivoisons l'un l'autre, il n'y a même pas une main que je puisse saisir pour lui offrir un peu de force et traduire ce que les mots sont incapables de communiquer.

Je ne suis certain que d'une chose : il m'appartient sans tarder de faire avancer la situation, faute de quoi l'âme de Florence risque un enlisement dans une révolte qui ressemblera à de la glu. Il faut d'abord que j'ose une question, même douloureuse.

- De qui parlais-tu en me disant : « Pourquoi ont-ils fait cela ? » Penses-tu seulement à Émilie et à Pierre ou aussi à ceux qui t'ont peut-être "suggéré" de prendre à nouveau un corps ?

Un autre silence s'installe entre nous. J'ai pris le risque de blesser et ma question a effectivement dû être ressentie comme impertinente parce que prématurée. D'ailleurs, je ne capte même plus le regard de Florence. Il s'est estompé, dissout, devrais-je dire, dans l'espace laiteux où je me trouve. Pourtant, *quelque chose* me fait deviner que mon interlocutrice est toujours là, qu'elle s'est tout simplement retirée dans ses pensées.

Cette fois-ci, je ne l'appellerai pas afin de la ramener vers moi. Si elle se replie dans son jardin intérieur, c'est qu'il est trop tôt...

- Oui... C'est vous qui avez raison... Autant que je vous raconte tout de suite...

La voix de Florence a refait soudainement irruption au centre de mon crâne tandis que je m'apprêtais à m'effacer.

- Je reviendrai demain, si tu préfères...

- Demain ? Cela ne signifie rien pour moi. Ici, vous savez bien qu'il n'y a pas de jours, pas de nuits, pas vraiment de temps qui passe. Je suis dans l'espace de ma conscience, je vous y ai accepté et si rien ne bouge dans cet espace, c'est alors que quelque chose en moi se figera et que j'aurai l'impression de mourir pour de bon.

- Comme une goutte d'eau qui se transforme petit à petit en glace ?

- Exactement. Si ma pensée tourne sur elle-même et se cristallise autour de ce que je viens de vivre, je vais m'enfoncer dans ma prison de colère et de solitude, je le vois déjà.

Il faut me parler et aussi que je parle ! C'est cela que vous ne comprenez pas sur Terre quand vous ne voulez pas de quelqu'un... Vous le renvoyez d'où il vient sans lui avoir dit la moindre chose ni lui avoir offert la moindre occasion de vous communiquer quoi que ce soit, ne serait-ce qu'une sensation, un mot, un nom, une image. Vous lui expédiez un : « On ne veut pas de toi », tout en préférant ne pas associer ce "toi" à quelqu'un qui pourrait entendre. En fait, vous vous forcez tous à croire que ce "toi", c'est "personne", juste une petite larve grosse comme un pépin de raisin ou un noyau d'olive. Si au moins vous nous parliez ! Si vous ne faisiez pas semblant de croire qu'il n'y a rien !

Dans son cri de révolte, Florence a insensiblement laissé réapparaître son regard face au mien. La colère a même appelé en lui, me semble-t-il, une sorte de vie dont il se montrait dénué. Elle l'a - si j'ose l'expression - incarné davantage.

- Oui, je vais vous dire pourquoi j'en suis là, pourquoi je me trouve maintenant dans cette sorte d'impasse où je ne sais plus vraiment qui je suis et où je balance entre révolte et mendicité... Je me sens comme une mendiante d'amour, vous voyez ! Il y a trois ou quatre mois de votre temps, j'étais pourtant encore si pleine d'espoir !

- Tu ne t'attendais pas à ce qui est arrivé ?

- J'espérais... J'espérais passer à côté d'une telle épreuve.

- Tu ne réponds pas vraiment à ma question...

- Écoutez, il vaut mieux que je reprenne tout cela au début. Vous comprendrez mieux et cela m'aidera sûrement à me réveiller de ce mauvais rêve... À vrai dire, c'est une histoire qui n'a pas vraiment de commencement parce que le début du chemin d'une âme se perd toujours dans la nuit des temps... Mais je vous raconterai ce qui est encore proche de moi et qui peut être utile...

Comme tous et toutes, j'ai vécu d'innombrables fois sur Terre et, entre chacune de mes vies, j'ai rejoint ce monde de repos et de douce lumière que certains appellent Devachan ou encore Purgatoire[1].

C'est là, vous le savez, que l'on reprend nos forces, que l'on tente de panser les blessures de notre âme, que l'on fait le point sur nous-même, sur ce qu'on n'a pas compris et sur ce qui nous reste à apprendre. C'est là aussi que l'on finit par rassembler nos outils pour préparer la prochaine vie qui, tôt ou tard, finira par s'ouvrir à nous. Je dis la prochaine vie mais, très franchement, cette réalité est souvent perçue comme la prochaine mort !

C'est toujours le même processus qui se met en place : dès qu'il nous faut radicalement entrer en métamorphose, un sentiment de mort s'empresse de nous habiter, tel un réflexe de protection. La peur de perdre...

Mon âme est féminine, voyez-vous. Sa polarité est inscrite dans ce que j'appelle sa... biologie subtile même si, pour des raisons d'apprentissage et donc d'évolution, elle a été amenée à devoir accepter de prendre des corps

---

[1] On dira aussi univers astral.

masculins de temps à autre. Si je vous le précise, c'est justement parce que cela a de l'importance dans mon histoire. Ce que je suis en train de vivre est même directement relié à la dernière de mes existences en tant qu'homme.

- Tu veux dire que tu es consciente d'avoir semé "quelque chose" dans cette vie-là ?

- On sème toujours quelque chose, quoi que l'on fasse. Mais attendez, ce n'est pas si simple… N'allez pas mécaniquement faire croire que si je souffre, c'est parce que j'ai d'abord fait souffrir. Vous ne la trouvez pas un peu facile et naïve cette compréhension du karma ?

J'ai maintenant envie de sourire en écoutant Florence me parler de la sorte. Elle s'anime du dedans et je la sens davantage vivante, presque prête à briser un mur, la paroi opaque de ses résistances de blessée.

D'ailleurs, on dirait que son regard dilaté et comme désespéré s'est légèrement éloigné du mien. Encore un peu et je pourrai bientôt deviner des pommettes, des tempes, peut-être un front, signes que Florence aura commencé à rassembler sa perception d'elle-même, en d'autres termes, qu'elle va se redéfinir en se recentrant autour de ses souvenirs.

- Oui, je vois ce que tu veux dire avec le karma. Tu penses à un scénario puéril du style : « Elle a été un homme qui a tué, donc elle paie une dette en se faisant refuser la vie… »

- C'est cela. Il faut gommer ce genre de… réflexion-réflexe trop facile. C'est caricatural et cela ne laisse aucune place, aucune chance au moindre souffle d'amour !

- À la compassion ?

- Oui, c'est le mot que je n'osais pas prononcer. Écoutez... Je vous disais que j'avais été un homme dans ma dernière existence sur Terre. Il fallait que j'apprenne à affirmer certains aspects de ma personnalité dont mon sens de la décision. Dans le contexte que je pouvais trouver à cette époque-là, un corps masculin m'en donnait davantage l'opportunité.

Je suis donc née homme, ou plutôt petit garçon et j'ai grandi dans une famille relativement aisée. Mon père dirigeait une métairie. Là, j'ai appris le métier à ses côtés, les responsabilités, la direction des ouvriers, la nécessité constante et grandissante de devoir prendre ma place dans un contexte difficile, celui des années précédant juste la dernière guerre mondiale.

C'est alors que je suis tombé amoureux d'une fille du village voisin. Vraiment amoureux. Une passion mutuelle qui nous a fait dépasser... les limites admises à cette époque-là. Nous étions peu avertis, alors, vous l'imaginez, mon amoureuse s'est rapidement retrouvée enceinte. Un drame ! La guerre allait éclater, je serais inévitablement appelé, l'enfant serait sans père et nos deux familles choquées dans leurs principes.

En fait, j'ai paniqué et je me suis fâché. J'ai même accusé celle que j'aimais de ne pas savoir « comment ça marchait », de ne pas se connaître. J'en ai tremblé pendant des jours. Je m'en souviens, nous ne nous parlions presque plus.

Pour moi, une seule solution s'imposait : ne pas garder l'enfant. « Après tout, me souviens-je aussi avoir dit, ce n'est même pas encore un enfant... Et puis, personne n'en saura jamais rien ! » Suzanne a d'abord résisté. Elle ne voulait pas. Elle prétendait qu'elle saurait s'en occuper même seule et qu'elle se moquait bien de ce que les gens diraient.

Moi, je n'ai rien voulu entendre de ses arguments. Mon estomac se nouait et j'avais peur. Là, j'ai pleinement joué mon rôle de mâle venu au monde avec le besoin de s'affirmer. J'ai été si têtu et si persuasif que j'ai fini par emmener ma fiancée chez une de ces femmes que l'on appelait alors des "faiseuses d'anges".

Cela s'est passé rapidement et, effectivement, personne n'a jamais rien su. Il n'y a eu que le regard de Suzanne pour en porter la tristesse et, certainement, la culpabilité inavouée.

Quelques semaines plus tard, j'ai dû, ainsi que je m'en étais douté, endosser l'uniforme. J'ai rejoint je ne sais plus quel régiment et je ne suis plus jamais revenu. La guerre m'a avalé.

Voilà… Maintenant, vous savez quelle graine exacte j'ai semée. Vous voyez, je n'ai pas voulu tuer, je n'étais pas un assassin…

Au cœur de cet aveu, c'est le visage entier de Florence qui s'est mis à apparaître. Il est là maintenant, devant moi, avec son ovale parfait, à la fois douloureux et paisible, semblable à ceux qui nous troublent dans certaines peintures italiennes.

Florence a les yeux baissés et tente de sourire comme si elle était satisfaite de s'être débarrassée d'un poids en me livrant son récit. Autour d'elle, il n'y a encore rien d'autre que la lumière. Le reste de son corps ne m'est même pas visible. En réalité, c'est parce qu'il n'existe pas pour Florence. Il n'a plus de réalité dans sa pensée. Depuis l'instant de son expulsion hors du ventre d'Émilie et de son ambiance vibratoire, l'image mentale qui faisait sa cohésion s'est dissoute. L'idée que Florence entretenait d'elle-même dans sa réalité corporelle s'est désassemblée.

- Vous ne dites rien ?

Mon interlocutrice vient de lever les paupières. Je ne vois plus l'ombre d'une révolte dans l'éclat de ses yeux. Une insondable tristesse l'a, semble-t-il, remplacée.

- Je ne suis plus personne, comprenez-vous ? Je vous ai dit que je m'appelais Florence mais, en réalité, cela ne signifie pas grand chose. J'ai été une Florence une fois dans une vie. Ce prénom résume un peu ma couleur d'âme et c'est pour cette raison qu'il est remonté d'un coup quand il a fallu que je vous en propose un. Mais présentement, au fond de moi, je ne sais absolument plus qui je suis, où je vais ni comment j'y vais. J'ai abandonné ma place "là-haut" et j'ai été jugée indésirable "en bas". Je vous le répète, je me sens bloquée entre deux portes. Pouvez-vous me comprendre ? Est-ce que mon cri, au moins, va servir ?

C'est mon être tout entier qui répond d'abord à Florence... Il y a une sorte d'onde de chaleur que je sens s'éloigner de moi. Les âmes communiquent souvent ainsi lorsqu'elles sont en dehors de leur support de chair. Dans de tels moments, les mots que nous connaissons et que nous enfilons les uns après les autres sur la ligne de notre pensée deviennent pauvres même si nous finissons, tôt ou tard, par nous y raccrocher.

- Il faut, vois-tu, que tu n'hésites pas à faire sortir de toi le détail de tout ce que tu as vécu. C'est ainsi que tu vas te retrouver et renaître et puis aussi... que ce que tu viens d'appeler "ton cri" sera pleinement reçu.

Encore un silence... Parfois, j'ai la fugitive perception de déplacements lumineux autour de nous. En réalité, je me sens très distinctement au centre d'une bulle, d'une sphère totalement virtuelle, générée et modelée par la conscience de Florence. Il s'agit d'un monde où se déplacent des masses d'énergie. Celles-ci ne sont pas nécessairement des présences, mais des vagues, des champs de force issus de son activité mentale et de son univers émotionnel.

- Oui, je crois que je comprends mieux, balbutie enfin l'âme de Florence. Vous voulez savoir aussi comment j'ai vécu... mon avortement ? C'est étrange, ni vous ni moi n'avions prononcé ce mot-là, jusqu'à présent. Je viens juste de le réaliser. Il est au cœur de ce qui nous fait nous rencontrer et c'est comme si nous en avions peur. Peur de faire mal ? De toute façon, j'ai déjà mal, alors autant entrer dans ma souffrance pour la dévitaliser et faire œuvre utile.

Écoutez... Devoir abandonner après un peu plus de deux mois l'embryon qui était sensé devenir notre corps, on peut penser que ce n'est pas grand chose. C'est d'ailleurs ce que je m'étais dit lorsque j'ai pris le risque d'accepter Émilie et Pierre pour parents... Quant à eux, ils n'ont même pas dû vraiment se poser la question. Dans leur esprit, leur amour avait juste "mis le feu" à une petite chose microscopique qui n'était même pas encore de la chair. Comment leur en vouloir ? Souvent, je les ai entendu en parler...

- Tu allais fréquemment les visiter depuis qu'Émilie se savait enceinte ?

- Oh, même bien avant ! Dès que ma conception a eu lieu, j'ai commencé à les rejoindre tous deux. Je me suis

d'abord simplement glissée dans leur aura commune...
C'était pour m'habituer à son odeur. Oui, une aura, cela
a une odeur et il faut bien l'apprivoiser... Toutes les âmes
qui vont naître font cela. C'est comme un mécanisme décidé par la Nature elle-même. C'est aussi une façon de
mesurer nos compatibilités. Il s'agit d'une période beaucoup plus importante qu'on ne le croit.

Vous savez... Dans le monde d'où je viens, j'ai une
amie qui n'est pas parvenue à passer ce cap. Il y a eu une
sorte de... dissonance entre son propre rayonnement et
celui de ses parents potentiels. Une semaine après la
conception, elle a dit non... Toute son âme s'est crispée
et il s'est produit un véritable phénomène de rejet spontané. La jeune femme qui devait être sa mère n'a même pas
su qu'elle avait été enceinte !

De tels événements ne sont de la responsabilité de
personne, voyez-vous. Il y a des couleurs, donc des par-
fums, qui ne se marient pas aisément. La Vie essaie parfois de créer des ponts entre eux, de les rapprocher pour
nous donner l'occasion de dissoudre, par exemple, de
vieilles tensions, mais nombre de ces tentatives échouent
parce que sans doute prématurées. Il existe une chimie
subtile et extraordinairement intelligente derrière tout cela. C'est difficile à imaginer quand on n'est pas immergé
dans un tel contexte.

Pour moi, ça a été très simple. L'aura de couple de
Pierre et Émilie m'était agréable. Je la sentais harmo-
nieuse. Y pénétrer, c'était comme enfiler une robe soyeu-
se. Oh, c'est sûr, je ne pouvais pas y faire de longues
incursions ! C'était encore si étranger au monde d'où je
venais et où une bonne partie de mon être vivait toujours !

Je n'ai pu y pénétrer vraiment qu'au bout de trois semaines, lorsque le cœur de *mon* embryon s'est mis à battre. Évidemment, là aussi il n'était question que de moments très brefs... Alors, je faisais des allers-retours entre ma famille de là-haut et l'autre, celle qui était sensée devenir la nouvelle. Je n'étais coupée de rien. C'est cela l'une des douleurs de l'avortement, comprenez-vous ? L'âme est soudain si dispersée qu'elle ne retrouve plus son fil directeur pour rentrer chez elle.

- Tu étais donc déjà si attachée à ton petit fœtus ?

- Moi, je n'y étais pas encore très attachée affectivement... mais le lien physique était déjà si fort !

- Même après seulement deux mois ?

- Oui... On m'avait prévenue et c'est ce que je ne cesse de constater en cet instant.

- Mais pourquoi dis-tu "physique" ? Tu parles de ton âme comme d'une réalité matérielle...

- Parce que quand on est dans son âme, on est dans une matière aussi. C'est une autre définition de la matière, voilà tout. Je ne sais pas comment l'expliquer autrement. Celle-ci est infiniment plus souple, elle ne se plie pas aux mêmes lois... mais il n'empêche qu'elle correspond à une réalité très concrète. Et puis... et puis, il y a autre chose qui intervient.

- Tu veux parler du corps éthérique ?

- Oui, tout ce réseau énergétique, ce tourbillon de forces puisées dans la Nature fait que le schéma du corps à venir se tisse tout autour de l'embryon, puis du fœtus[1].

---

[1] Pour de plus amples détails, voir "Les neuf marches" de Daniel Meurois et Anne Givaudan, Éditions S.O.I.S.

Vous dites que c'est éthérique mais ce mot-là est trompeur. On a l'impression, quand on l'utilise, qu'il évoque quelque chose d'inconsistant. Pourtant, l'éthérique c'est... un peu comme de l'électricité.

Imaginez un monde fait de réseaux électriques extrêmement complexes et d'intensités différentes... Vous aurez ainsi une idée de la nature des forces puis des échanges qui se mettent en place entre le corps de l'âme et... ce qui se passe dans le ventre d'une femme. Ce sont tous les principes de l'univers qui se donnent rendez-vous là.

Alors vous savez si, brusquement, on brise cet agencement... c'est comme un énorme court-circuit. Voilà pourquoi je disais : « c'est physique » et pourquoi le choc m'a dispersée.

Les paupières de Florence se sont baissées lentement. Je n'ai pas de peine à imaginer qu'elles tentent ainsi de dissimuler quelques larmes...

Ce qui me frappe, c'est l'extraordinaire maturité de Florence, je veux dire sa lucidité d'adulte. Elle me donne l'ultime preuve que ce ne sont pas des petits enfants ni de vagues présences vierges de tout qui se rapprochent de la Terre pour naître à travers le corps d'une femme. Ce sont des êtres à part entière avec leurs bagages et qui vivent tout selon l'ouverture de leur conscience.

- Pouvons-nous continuer, Florence, ou as-tu besoin d'être seule ?

Mon interlocutrice reste encore prostrée durant quelques instants puis, enfin, elle se redresse.

- Non... C'est l'activité de ma pensée qui me fait du bien. Restez... Il faut parler à tous ceux qui sont "refusés", c'est vital. Je me sens un peu semblable à un tissage dont il ne subsisterait plus que la trame verticale. C'est cela, en effet ! Tous les fils horizontaux, tout ce qui faisait que j'avais une "couleur", une forme, une sorte d'identité, tout cela s'est défait brusquement.

Vous voyez, l'âme est si proche du corps ! Quand on est sur Terre, on a toujours la conviction qu'il s'agit de deux mondes qui n'ont rien à voir l'un avec l'autre, que leur frontière n'est pas poreuse. Or, c'est tout le contraire, il y a des… fils téléphoniques tirés en permanence entre les deux. On ne touche pas à l'un sans interférer sur l'autre et vice versa.

Je sais bien, il faut au moins être persuadé de l'existence de l'âme pour avoir une chance de comprendre ce que j'essaie de vous expliquer… ou tout simplement espérer recevoir un peu de tendresse quand on va se faire… aspirer en dehors d'un ventre. Juste un peu de tendresse ! Est-ce si difficile ?

Une fois de plus, l'image de Florence est en train de s'effacer. Je ne peux m'empêcher de songer à un escargot qui rentre dans sa coquille au moment où il faudrait, au contraire, qu'il avance…

Pour sortir Florence de l'espace de semi-conscience douloureuse qui semble encore vouloir l'engloutir, je laisse jaillir la première question qui me vient à l'esprit.

- Et pour Pierre et Émilie ? C'était comment ? Est-ce que tu savais s'ils croyaient en quelque chose ? La notion d'âme avait-elle un sens pour eux ?

La voix qui tente de me répondre est faible. Elle me donne l'impression de se faufiler sur le bord des lèvres de quelqu'un qui se trouve à l'entrée d'un grand labyrinthe et qui craint de s'y perdre.

- Pour Émilie, oui... Enfin, d'une certaine façon ! Elle pense bien qu'il existe "quelque chose", mais c'est si vague, si flou que pour elle cela n'a pratiquement pas de consistance. Je ne lui en veux pas ; j'ai vu qu'elle n'avait pas de références pour réfléchir un peu. Elle croit en quelque chose, en théorie - disons comme sa mère - mais ça s'arrête là.

- Et Pierre ?

- Lui, c'est autre chose, je l'ai bien vu. Il dit que non, que l'âme n'existe pas. Non pas parce qu'il est contre mais simplement parce que ça lui fait peur. S'il découvrait qu'elle est une réalité, cela bouleverserait tellement son monde intérieur avec son semblant de cohérence que ce serait une bombe face à laquelle il se trouverait tel un enfant désemparé. Je ne lui en veux pas non plus ; la plupart des gens lui ressemblent, vous le savez bien. Ils ne sont pas si adultes qu'ils en ont l'air !

Pour ne pas affronter leurs peurs, ils choisissent de vivre avec les volets fermés. Leur horizon reste le même, ainsi il n'y a pas de vertige possible et, surtout, cela les rend un peu moins responsables. « Avant le corps, il n'y avait rien et après lui, il n'y a évidemment rien ! » N'est-ce pas plus simple ? Alors un avortement, au milieu de tout cela, c'est juste un détail technique. J'ai été un détail, voyez-vous ! C'est ce genre de constatation qui blesse aussi le cœur...

Le grand regard bleu de Florence vient à nouveau de se plaquer contre le mien ainsi qu'aux premiers instants de notre rencontre. Avons-nous fait du sur-place dans le dépassement de sa souffrance ? J'ai la sensation que je dois devenir plus ferme. Si je pouvais au moins la saisir par les deux épaules pour être certain qu'elle ne commence pas à emprunter le chemin engourdissant des victimes !

- Explique-moi, Florence… Tu me disais que tu étais en colère mais là, à deux reprises, tu viens de m'affirmer que tu n'en voulais ni à Émilie ni à Pierre.

- Oui… Enfin, je ne sais plus… Je leur en veux peut-être malgré tout. Je crois que ce que j'accepte mal, c'est la volonté de ne pas savoir, la volonté qu'ont la plupart des gens de fermer les yeux sur ce qui ne les arrange pas dans l'instant. Ne pas vouloir savoir, c'est se dégager des éventuelles conséquences de ses actes. Il me semble que c'est à cause de ce genre d'attitude que j'ai accepté de vous rencontrer et de vous livrer à ce point le fond de mon cœur. Au moins, je ferai peut-être avancer la réflexion, la prise de conscience.

Je crois que c'est la bêtise et le manque d'amour qui font monter en moi des élans de colère. On peut accepter bien des choses, faire face à bien des refus quand il y a un minimum d'amour derrière eux.

- Mais, dis-moi, tout à l'heure tu me parlais du risque d'accepter Pierre et Émilie pour parents et tu t'es dite aussi prévenue de la douleur d'un rejet, même après deux mois. Tu savais donc ce qui allait arriver… Il y a quelque chose, comme une contradiction, que je ne comprends pas vraiment entre ta révolte présente et la connaissance anticipée de ton avortement.

- Je sais… Mais ce n'est pas aussi mathématique que cela. Il s'agissait bien d'un risque, d'une probabilité. Dans quelque direction que l'on aille, il y a toujours une marge de liberté. J'ai de la difficulté à le reconnaître en cet instant présent, cependant c'est précisément cet espace de liberté qui nous fait grandir.

En fait, il n'était pas "écrit d'avance" que mes parents ne seraient pas mes parents et qu'ils me refuseraient. L'épreuve par laquelle je devais passer était aussi dans l'acceptation d'un moment d'insécurité, d'indécision. J'étais d'accord pour cela... Quand on a vécu quelque temps "là-haut", tout paraît souvent si simple... On voit les choses avec des yeux purs et pleins de force, on comprend les finalités. Bien des événements en probabilités paraissent alors acceptables !

En ce qui me concerne, je dois avouer que j'aurais pu refuser cette épreuve... ou plutôt la repousser à une autre vie.

- Tu as voulu t'en débarrasser tout de suite, en quelque sorte.

- Non... Non... Ce n'était pas cela.

En vérité, cela s'appelle l'orgueil, je crois. Par bravade et face aux amis qui me guidaient, j'ai juste voulu affirmer que j'étais assez forte. Je me suis dit : « Je pars, il y a une chance sur deux pour que je revienne vite... Si c'est cela, ça fera sans doute un peu mal et puis, ce sera tout, je reviendrai. » J'ai sans doute été stupide mais, après tout, c'était peut-être aussi parce que c'était moi qui devais vous parler de tout cela. Qui sait ?

Vous voyez, que l'on soit d'un côté ou de l'autre du miroir, nous restons des êtres humains, avec nos incohérences.

- En t'écoutant, j'aurais envie de parler d'une complicité étroite, bien que souvent inconsciente, entre les deux versants de la Vie. Es-tu de mon avis ?

Florence ne me répond pas tout de suite. C'est à nouveau son visage entier qui m'apparaît comme dans un mouvement de zoom arrière générant, du même coup, une onde lumineuse aux accents fortement rosés.

- Oui... C'est cela et j'éprouve encore de la difficulté à le reconnaître. De part et d'autre du rideau de la Vie, nous semons totalement ce qui nous arrive et qui nous construit. Il n'y a personne à accuser.

Maintenant... j'aimerais juste un peu de silence et de solitude. J'ai besoin de me retrouver... et d'inventer à nouveau une colonne vertébrale pour mon âme. Vous le voulez bien?

# Chapitre II

## Le temps d'un rêve

Les martellements de la musique *techno* sont d'une violence inouïe lorsqu'ils atteignent le corps de mon âme... À vrai dire, il a fallu une solide raison pour que je me laisse attirer, cette nuit, dans cette discothèque du sud de la France. J'ai voulu voir ce qui se passait au niveau d'Émilie et de son compagnon. Cela fait partie de la tâche qui m'est confiée. Témoigner de la vérité...

C'est ainsi que, tout à l'heure, je me suis dégagé de mon habit de chair et que je me retrouve maintenant, observateur inconfortable d'une centaine de jeunes gens qui dansent sous une pluie de lumières saccadées et dans un nuage de fumée.

Ceux qui auraient pu être les parents de Florence sont là, dans un coin, sur une banquette. Pierre finit de vider un verre, se rapproche d'un ami qui tente de lui parler en lui hurlant trois mots à l'oreille puis se tourne vers Émilie. Elle a l'air de s'ennuyer, Émilie. Je la vois épuisée, d'ailleurs. Comment ne s'en aperçoit-il pas lui qui, à nouveau, dirige son regard vers son ami ? Émilie en a assez ; elle lui saisit la main et fait mine de se lever, l'air un peu excédée.

- Tu es fatiguée ?

La jeune femme ne répond pas. Ce n'est pas nécessaire d'ailleurs, ses yeux disent tout. Et puis, il lui faudrait hurler pour se faire entendre. Elle préfère se faufiler entre les corps désarticulés de ceux qui dansent afin de rejoindre tant bien que mal le comptoir du vestiaire. Pierre a compris qu'il n'avait pas le choix. Le visage tendu et l'allure embarrassée, le voilà maintenant qui pousse de l'épaule la lourde porte cuivrée de la discothèque.

- Je croyais que tu aimais ça... C'est toi qui as voulu venir, ce soir...

- Je sais, je suis fatiguée, c'est tout...

- Tu penses à la semaine dernière ? Ça ne va pas ?

Pas de réponse de la part d'Émilie. Elle attrape fiévreusement la main de Pierre et, bientôt, la rue ne vit plus qu'au rythme de leurs pas résonnant sur l'asphalte humide d'un trottoir étroit.

À vrai dire, je ne sais pas encore précisément pourquoi je suis venu là, observer une petite séquence de leur vie à partir de mon espace entre deux mondes. Une volonté extérieure à moi m'y a poussé, voilà tout ce que je puis dire... C'est elle aussi qui m'incite maintenant à suivre cette voiture dans laquelle l'un et l'autre viennent de s'engouffrer. Je reconnais son crissement de pneus un peu nerveux, le même que celui de l'hôpital, il y a plus d'une semaine... Déjà !

- Non, Pierre... Je vais monter seule... On se voit demain... Tu m'appelles ?

Le trajet a été bref. Un boulevard, trois pâtés de maisons, puis un immeuble aux appartements avec petits balcons... Nous y sommes. Après un baiser du bout des lèvres, Émilie claque la portière de la voiture, rentre frileusement sa tête entre ses épaules, franchit le portail vitré de l'immeuble et s'engouffre enfin dans un ascenseur.

Je ne sais plus que faire car il est évident que le monde de l'intimité d'Émilie commence là. Une seule solution s'impose : me détacher de ce lieu physique, laisser le corps de mon âme monter vers un espace plus proche de sa nature et attendre un signe. Simple question de lâcher-prise.

Quelques secondes suffisent... Je ne me maintiens plus mentalement face à l'immeuble qui a absorbé la silhouette fatiguée d'Émilie. Sa façade s'estompe comme celle d'une réalité parmi cent autres possibles et simultanées. Notre univers est ainsi fait. Je le connais *du dedans*, avec sa multitude de longueurs d'ondes ou de "longueurs d'images" qui se chevauchent et se superposent un peu à la façon des strates d'un paysage géologique.

Voilà... Ma conscience se dilate et... et, étonnamment, je me retrouve à nouveau en présence d'Émilie. Celle-ci est étendue sur son lit. Elle s'y est jetée tout habillée. À la hâte, elle a tiré une couette sur elle et elle sombre déjà dans le sommeil tandis qu'une lampe aux reflets mauves demeure allumée au ras du sol.

On dirait une chambre de petite fille qui a grandi trop vite. Les oursons se mêlent aux livres d'étude et deux tasses à thé sales traînent sur un devoir inachevé et des feuilles éparses, quelque part sur un bureau de faux bois blanc.

Dans son début de sommeil, Émilie paraît sangloter.

- M'entendez-vous ?

Une voix vient de faire irruption en moi.

- M'entendez-vous ? répète-t-elle avec une insistance mêlée d'inquiétude.

Émilie ? Non... Impossible, celle-ci est à peine endormie, elle n'a pas encore franchi la frontière des mondes.

Quelque chose en moi fait un demi-tour sur lui-même. Sensation difficile à traduire... C'est Florence qui vient de me parler, Florence qui se trouve là, face à moi, et, pour la première fois, "toute entière" ! Il m'a fallu un long instant, d'ailleurs, pour réaliser qu'il s'agissait bien d'elle.

- Moi aussi, c'est la première fois que je vous vois, fait-elle. Jusqu'à maintenant, j'en avais été incapable. Il n'y avait que votre présence floue, le son de votre voix qui résonnait comme au bout d'un long tuyau et l'éclat fugitif de votre regard... Oh, je respire !

La chambre d'Émilie s'est doucement laissée envelopper d'une atmosphère laiteuse. Une sorte de voile semi-opaque a été tiré sur son décor et sa jeune occupante ne m'apparaît plus que très lointaine, perdue au milieu de son grand lit.

- J'avais presque oublié qu'elle était comme ça... murmure en moi la voix de Florence. Il me semble que cela fait un siècle ! Oui, il a fallu que je la revoie encore une fois avant de me dégager de cette impasse. J'ai tout fait afin que vous m'entendiez pour me rejoindre ici.

- Pourquoi ici plutôt qu'ailleurs, Florence ?

- Parce que c'est dans ce décor que tout s'est noué. C'est ici qu'ils m'ont conçue et c'est ici également qu'ils ont pris la décision de me rejeter.

42

- Je comprends mais, vois-tu, je ne suis pas vraiment certain que ton expression soit juste. Ce n'est pas toi en tant que personne humaine qui a été rejetée, mais plutôt l'idée d'avoir un enfant. C'est bien différent, non ? Ton âme est bien plus au cœur d'un apprentissage de la vie, d'une lacune de la conscience ou même d'un manque d'amour... Appelons cela comme nous le voulons. Alors, si tu essayais de ne pas persister dans le fait de croire que c'est toi, en tant que Florence, qui a été indésirable, cela changerait tout.

- Je sais... Je me le suis souvent répété depuis notre rencontre mais, dès qu'il s'agit d'intégrer cela, ce n'est pas si simple et...

Florence retient quelque chose. Sa voix en moi est restée suspendue comme un souffle qui ne s'est pas pleinement exprimé. Je ne veux rien forcer. C'est l'occasion d'un moment de communication silencieuse entre nous, un moment où je peux l'observer vraiment, dans sa totalité.

Elle n'est plus simplement un regard, une âme contactée quelque part dans l'infini, mais un être humain totalement complété, avec son corps, ses vêtements, ses attitudes. Elle est plutôt jolie, d'ailleurs, avec ses longs cheveux bruns en liberté sur les épaules et sa robe bleue qui évoque celles des débuts du siècle dernier. Nous sommes si loin du petit embryon qui s'est éteint dans une salle d'hôpital ! Florence s'est retrouvée, même s'il me paraît évident qu'elle n'est pas encore libérée de sa peine.

- Oui, reprend-elle, ce n'est pas vraiment simple de se persuader de ce que vous venez de me dire... Surtout quand on devient conscient du trait d'union qui nous réunit tous. Ce n'est pas un hasard qui m'a ouvert la route jusqu'à Pierre et Émilie. Il n'y a jamais de hasard ! Vous vous en doutez... Mon âme a connu celle d'Émilie, autrefois. Nous avons été sœurs, il y a plusieurs siècles. Alors, vous comprenez, c'est un peu comme si ma sœur ne voulait plus de moi.

- On dit que les âmes qui sont destinées à former une famille se rencontrent avant de s'incarner ou avant une conception. On dit qu'elles se mettent d'accord. Est-ce que tu me confirmes cela dans ton cas ?

- C'est vrai... Nous nous sommes rencontrées. Mais je vous l'ai déjà dit, entre la vision idéale que nous projetons et celle que nous parvenons à concrétiser lorsque nous sommes au pied du mur, il y a souvent un gouffre.

Initialement, avant de naître elle-même à la Terre, Émilie avait l'intention de m'accueillir. Nous n'avions pas de dette morale l'une envers l'autre ; c'était simplement l'envie de poursuivre notre chemin ensemble.

Lorsque nous nous sommes retrouvées en conscience, c'est-à-dire dès qu'elle a commencé à s'unir à Pierre et qu'une porte pour ma venue s'est entr'ouverte, il était déjà clair pour moi qu'elle avait changé. Elle n'était plus certaine de me vouloir, plus assez sûre d'elle, de son courage, pas convaincue que ce soit le bon moment. C'est elle qui a été mise à l'épreuve, tout autant que moi. Et je crois que c'est seulement maintenant qu'elle s'en rend compte...

Voyez-vous, cette chambre est devenue une sorte de point d'ancrage pour mon être, le seul que je puisse vraiment approcher sur Terre et où je puisse espérer un contact avec Émilie après tout ce qui s'est passé. Je sais bien, c'est encore une limite que je m'impose... Mais pour l'instant, c'est ainsi. J'ai besoin d'un point de repère pour mieux tout rassembler, pour effacer le tableau sur lequel j'avais commencé à m'écrire et, enfin, me remettre en chemin.

Vous comprenez, aucune âme ne retrouve sa route et son fil directeur si elle ne s'est pas un tant soit peu libérée de ce qu'elle avait à dire. Dans cet espace entre les mondes où je vis présentement, nos pensées sont très concrètement semblables à des toiles d'araignées. Quand on s'emmêle au milieu de leur tissage, il est difficile d'avancer.

- Veux-tu dire que tu vas tenter de parler à Émilie ?

- Je voudrais la faire pénétrer dans mon espace mental. Oh oui, j'aimerais tant réussir à faire venir son âme auprès de la mienne ! Exactement de la même façon que vous y êtes en ce moment ! Ce serait libérateur pour nous deux, j'en suis certaine...

Instant d'émotion pour Florence. Si je n'étais en quelque sorte son invité, je me sentirais de trop face à ce qui se met en place.

- On m'a appris comment faire quand on est encore très proche de ceux qu'on aime... Il faut que je me glisse dans la lumière, près d'elle, et que j'essaie de la toucher... sur sa main... ou sur son épaule, peut-être. C'est là que j'aurai une chance de la faire venir et de l'éveiller à moi. Si je réussis, tout à l'heure ou demain, quand il fera jour, Émilie aura l'impression d'avoir rêvé de moi.

Je ne peux pas répondre à Florence. Plus que jamais en cet instant, je deviens son témoin, celui de sa métamorphose et celui, respectueux, de certains des mystères de notre vie. Je plonge au cœur du sacré, j'en suis conscient et cela m'émeut, moi aussi. Il me faut juste laisser faire et observer...

Tandis qu'elle s'approche maintenant d'Émilie étendue sous sa couette, Florence me donne l'impression de passer une rivière à gué. Bien sûr, c'est le corps subtil de la jeune femme qu'elle va tenter de stimuler et d'attirer à elle doucement mais, de mon poste d'observation, il n'y a pas de différence ; il s'agit de la même vie qui se prolonge, sans frontière.

Voilà... Florence se penche, elle porte sa main sur l'épaule gauche de celle qui aurait dû être sa mère. Elle la laisse longtemps ainsi et j'ai vraiment la perception d'un pont jeté entre les deux femmes.

Émilie émet un profond soupir. Va-t-elle se réveiller ? Non, ce n'est pas son corps de chair qui est stimulé... Florence recule, se glisse à deux mètres du lit et je la vois sourire...

Une forme de lumière couleur de lune se dégage soudainement de dessous la couette. Je la reconnais, c'est celle d'Émilie ; elle a sa silhouette et offre les traits de son visage. Son âme nous a rejoints en empruntant la route du sommeil. Elle semble sortir d'une longue torpeur et, l'espace d'un instant, je me plais à espérer qu'elle va nous révéler une Émilie plus consciente...

Pourtant, dans son réveil, le corps de lumière de la jeune femme paraît plutôt vouloir prolonger les réflexes acquis sous son vêtement de chair... Non, je ne me trompe pas, l'âme d'Émilie sanglote. Elle est parcourue de petits soubresauts, elle a transporté son chagrin de l'autre côté du miroir.

Un rapide coup d'œil vers Florence suffit à me faire comprendre toute son anxiété. Elle ne sait que faire, face à cette peine dont elle imagine vraisemblablement être le centre et le moteur. Une chose est néanmoins évidente, la colère l'a quittée. Il y a quelques semaines à peine, elle était encore une présence dans le ventre de cette femme qui pleure et la voilà maintenant, face à elle, d'égale à égale, elle-même souffrante et désemparée.

J'ignore si cela se passe toujours ainsi, mais il y a quelque chose de poignant dans cette scène qu'il m'est donné de vivre.

- Émilie?

L'appel vient de Florence. Elle l'a lancé, dirait-on, comme une bouée à la mer. Il s'est échappé de son cœur avec une pointe de désespoir.

Émilie ne réagit pas. Elle prolonge jusqu'ici l'ambiance de sa vie, elle rêve qu'elle pleure tout en passant nerveusement sa main parmi ses cheveux courts et en broussailles.

- Est-ce que tu me reconnais? C'est moi...

Florence s'est approchée d'elle. Je devine qu'elle voudrait la prendre par les épaules comme le ferait une grande sœur ou une mère mais qu'elle n'en a pas la force.

- Émilie, est-ce que tu m'entends? fait-elle soudain, un peu excédée. J'ai besoin de te parler, moi!

Cette fois, la jeune femme redresse la tête. L'air hébété, elle fouille du regard la lumière ambiante, celle du "double en énergie" de sa chambre. Elle se dégage ensuite du rebord de son lit et avance en direction de Florence comme si elle n'était surprise ni de son existence ni de sa présence.

Ce mouvement suffit à tout modifier. L'espace de lumière qui nous accueille tous trois paraît se désagréger. Je comprends aussitôt qu'il est remodelé par la nature des pensées conjointes d'Émilie et de Florence.

Il devient bel et bien l'hologramme conforme à leur réalité intérieure du moment, à tel point que je crains qu'il ne m'échappe ou que j'en sois exclu parce que trop étranger à l'intimité qui le suscite.

J'ai ici, devant moi, la parfaite démonstration de la façon dont se bâtissent les rêves. Hors de leur vêtement de chair et d'os, nos âmes ont la capacité spontanée de générer des mondes plus ou moins solides, plus ou moins permanents au sein desquels elles se retrouvent, au cœur desquels, aussi, elles agencent des situations, créent des mises en scène ou donnent momentanément vie à leurs fantasmes.

Effectivement, ainsi que je le pressentais, la complicité entre Florence et Émilie est trop forte pour que j'en sois le total témoin. Seules leurs voix me parviennent désormais, petits fils conducteurs qui me permettent malgré tout de les suivre dans leur jardin privé. Je m'y abandonne car c'est une main qui m'est tendue afin que je puisse poursuivre ma tâche.

- Pourquoi ne m'as-tu rien dit, Émilie ?

- Je ne le savais pas moi-même…

- On avait pourtant décidé de se retrouver !

- Tu n'as aucune idée de la façon dont on vit en ce moment, en-bas… Tout le monde nous assure que ce n'est pas grave. Et puis, tu ne sais pas comment est Pierre. Il ne voulait pas…

- Ce n'est pas que ce soit grave, Émilie. Il n'y a pas une blessure qui ne se cicatrise pas… Grave n'est pas le mot… C'est… C'est la façon de faire tout cela, c'est le manque d'amour. C'est cela qui me blesse plus que n'importe quoi. Le manque d'amour ! J'ai l'impression…

d'une trahison, d'un abandon, est-ce que tu comprends ? Il y a quelque chose qui est cassé dans mon centre depuis que j'ai compris que je n'avais plus d'espoir de te rejoindre tout de suite. J'avais remonté un ressort, j'étais prête et puis... il s'est bloqué d'un coup.

La réponse d'Émilie ne vient pas jusqu'à moi. Elle ne vient d'ailleurs sans doute pas du tout car le silence se fait pesant entre les deux jeunes femmes.

- Écoute, nous sommes complices, non ? Je ne veux rien te reprocher. C'est une histoire entre nous. Je voudrais seulement que tu comprennes, que tu ne continues pas ta vie comme ça, à moitié endormie.

- Tu me trouves endormie ?

- Nous vous trouvons *tous* endormis. Dès que nous approchons de vous pour revenir, cela devient presque toujours comme un défi à relever. Il n'y en a pas un de nous, je crois, qui ne se dise : « Est-ce qu'ils vont nous entendre ? Ont-ils au moins la sensation qu'il y a *quelqu'un* qui est en train de les rejoindre et qui les perçoit? » Nous savons que nous descendons dans un monde où tout ce qui devrait être logiquement sacré a été systématiquement évacué.

- Mais tu sais bien que je n'ai pas été élevée dans la religion, moi...

- Qui te parle de religion, Émilie ? Le sacré, ça n'a rien à voir ! Ça appartient à la Vie, dans son fondement, dans son essence. C'est juste du respect par rapport à un mystère qui nous dépasse tous, qui que nous soyons...

Essaie de me comprendre... Tu avais parfaitement le droit de ne pas vouloir de moi. J'aurais seulement voulu... que tu me l'expliques, que tu me dises que tu m'aimais, mais que ce n'était pas le bon moment pour toi. J'aurais espéré que tu me donnes... un autre rendez-vous.

- Je ne savais plus que c'était toi, je ne savais même pas s'il y avait une vraie présence dans mon ventre...

Quelque chose bouge dans l'espace mental qui s'est tissé entre Florence et Émilie. Leur conscience à toutes deux doit soudainement s'expanser en se libérant d'une charge émotionnelle car je me sens à nouveau invité dans leur monde. Leurs silhouettes réapparaissent, elles me donnent l'impression de se sculpter dans la lumière. C'est sans nul doute le cœur des jeunes femmes qui est parvenu à s'ouvrir plus pleinement, dilatant ainsi l'horizon de leur univers intérieur. Il est arrivé à créer un décor autour d'elles, un décor certainement issu de vieux souvenirs communs et qui les aide à se recentrer autour de ce qui les unit.

Les deux jeunes femmes sont assises sur un carré d'herbe parsemé de pâquerettes. Non loin d'elles, je remarque une vieille souche d'arbre et un chiot qui gambade. Au-delà, tout se perd dans une brume ensoleillée.

- Pourtant, je t'ai trouvée si souffrante, Émilie. C'est donc que tu me sentais, malgré tout...

- Je ne sais pas... Je me suis dit que c'était mon corps qui réagissait indépendamment, qui se réorganisait. Enfin...

Je perçois un sanglot dans la gorge d'Émilie. Celle-ci cherche un deuxième souffle afin de terminer sa phrase.

- Enfin... Je me sens coupable... Mais ce n'est pas vraiment dans ma tête, vois-tu, car j'ai mille arguments pour me raisonner. Ça se passe plutôt dans mon... cœur profond. Et puis, il y a Pierre. Il n'a jamais vraiment voulu en parler franchement. Il préfère regarder cela comme un problème mathématique à résoudre et pour lequel il n'y a surtout pas besoin d'état d'âme. En réalité, c'est sûrement une façon de se protéger parce que c'est quelqu'un de sensible... Il a fait comme moi, il a préféré contourner ce qu'il ne comprenait pas vraiment. D'ailleurs, c'est naturel pour lui. Il sait que c'est arrivé à sa mère lorsqu'il avait une dizaine d'années... Oh, dis-moi encore que ce n'était pas si grave !

Florence sourit tristement.

- Mais non... fait-elle enfin avec une sorte de soupir. C'est juste... une page de cahier qu'on a arrachée et qu'il faudra bien réécrire d'une autre façon.

Soudain, Émilie sursaute. En l'espace d'une fraction de seconde, je vois son corps de lumière se désagréger au même titre que le décor de verdure dans lequel je viens à peine d'être admis. Plus rien de tout cela n'existe et j'ai moi-même l'impression d'être tiré en arrière ou de tomber au fond de quelque chose. L'espace mental du monde que je partageais a explosé à la façon d'une bulle de savon.

Par bonheur, la pénible sensation est de très courte durée car, à nouveau, je me retrouve dans l'atmosphère feutrée de la chambre d'Émilie. Sur le sol, près du lit, la petite sonnerie agaçante d'un téléphone vient de tirer la jeune femme de son sommeil. À grand peine, celle-ci décroche le combiné de l'appareil et bredouille quelques mots d'une voix blanche.

- C'est toi, Pierre ? Je venais juste de m'endormir... Non, je t'assure, je vais bien... Mais non, je ne suis pas fâchée non plus... Je faisais un drôle de rêve... Je te raconterai demain... Oui, moi aussi...

D'un geste lourd et maladroit, la jeune femme vient de raccrocher et je sens que, de mon côté, la "ligne" vient d'être coupée. Émilie va chercher un nouveau sommeil alors que Florence s'en est retournée dans son monde au-delà du voile... Il ne me reste plus qu'à rejoindre mon corps pour, dans quelques heures, tenter de prendre mon cahier et ma plume.

## Chapitre III

## Auprès d'une âme-racine

Je ne compte plus les questions qui se sont empilées en moi depuis mon dernier contact avec Florence et Émilie. On dirait que mes rayonnages intérieurs en sont pleins. J'ai eu tout le temps de les garnir et de les classer, d'ailleurs, car voilà une dizaine de jours que je n'ai rien tenté pour y apporter des éléments de réponse. Je ne percevais aucun signe qui puisse ressembler à un appel de Florence et, surtout, j'ai voulu rester fidèle à ma décision de ne rien forcer ni précipiter.

Aujourd'hui cependant, il est temps d'avancer. Si mon interlocutrice s'est davantage reconstruite, si son âme s'est apaisée, je me promets d'aborder avec elle des dizaines de points encore énigmatiques pour tous ceux qui s'interrogent sur l'acte de naître ou sur le refus de celui-ci.

Rejoindre une âme dans le monde où elle vit demeurera à jamais une simple question de cœur. Il n'existe pas d'itinéraire balisé. La "fibre optique" ou le "câble haute

53

vitesse" qui permettent le voyage portent seulement le nom de l'amour. Un amour lentement mûri en dehors de toute identification à la chair et libre de toute chaîne.

Je n'ai aucune idée de là où se trouve Florence. Seuls son visage - oserais-je dire *florentin*? - et ce début d'amitié qui s'est tissé entre nous me servent de fils conducteurs. Ainsi en est-il à chaque fois que des âmes se rencontrent et qu'un lien se crée entre elles ; elles échangent, en quelque sorte, l'une et l'autre leur code d'accès. L'expression en elle-même n'est guère très poétique mais elle a le mérite d'être parlante dans notre société dédiée à la technologie.

Oui, chaque âme, chaque conscience possède son code qui lui est propre et qui peut être comparé à un ensemble hyper complexe de fréquences vibratoires. Celles-ci véhiculent une infinité de trajectoires, d'histoires et donc de mémoires. Par conséquent, lorsque deux êtres se retrouvent ou se rencontrent pour la première fois, ce sont deux univers qui échangent à leur propre insu des milliards de milliards d'informations et qui jettent des possibilités de ponts entre eux.

Qu'une femme et un homme s'unissent, ne serait-ce que cinq petites minutes dans une vie, qu'un ventre maternel accueille une présence, ne fût-ce que l'espace de quelques brèves semaines, et un fil d'argent est à jamais tissé entre eux.

Pourquoi d'argent ? Parce qu'il sera d'abord fait de pulsions et d'émotions... Et parce qu'il appartient à chacun, à travers la multitude des vies et des mondes, d'en faire un fil d'or en en comprenant le sens puis en le sublimant.

- Cela fait combien de temps ? Vous avez compté ?

- Il y a presque un mois, maintenant, Florence.

Cette fois-ci, j'ai rejoint la jeune femme dans un tout autre décor. Nous sommes dans une sorte d'interminable tunnel habité par une douce clarté verte. Florence porte encore la longue robe bleue un peu désuète dans laquelle je l'ai déjà aperçue.

- Cela ne me surprend pas, répond-elle avec un sourire forcé. Pas étonnant que je sois encore pesante à ce point ! C'est trop tôt... J'ai déjà pu rentrer un peu chez moi mais, très vite, il y a quelque chose qui m'a ramenée ici avec un poids au cœur. C'est fou ! Mais pourquoi donc est-ce aussi résistant ?

- De quoi parles-tu ?

- De tout ce qui allait faire ma chair, des forces qui avaient commencé à la façonner. Je suis vraiment morte, vous comprenez ! J'avais un cœur qui battait... et lorsqu'on a brusquement décidé d'interrompre ses pulsations, c'est toute une intelligence de vie qui a été court-circuitée. Les éléments de la nature qui se mariaient en moi se sont alors trouvés dissociés. Ils avaient commencé à s'organiser pour me fabriquer "en idée", organe après organe, et puis voilà que, d'un coup, on a séparé l'éther de l'air, l'air du feu, le feu de l'eau et, enfin, l'eau de la terre[1]. C'est comme cela que ça se passe, qu'on le croie ou non !

Imaginez une maison que l'on abat soudain après avoir commencé à en monter les murs. Ses matériaux sont désassemblés... Les briques, le mortier, le bois, le

---

[1] Voir "Les Neuf Marches", de Daniel Meurois et Anne Givaudan, Éditions S.O.I.S.

verre, tout cela tombe pèle-mêle. Bien sûr, il faut du temps pour que les gravats se trient d'eux-mêmes avant qu'ils ne rejoignent finalement leur place dans la nature.

Eh bien, pour un petit corps, même si celui-ci n'est encore qu'une ébauche, il se passe analogiquement la même chose ! Il faut une quarantaine de jours afin que les principes vitaux qui le construisaient retournent à leur matrice. C'est une mécanique contre laquelle on ne peut rien, vous voyez.

Le feu réintègre l'essence du Feu, l'air celle de l'Air et ainsi de suite... Tant que cela n'est pas achevé, il y a toujours quelque chose de subtil, une sorte de pesanteur, qui continue à relier l'âme aux forces éparses qui lui tissaient un vêtement de chair.

Voilà pourquoi je ne parviens pas vraiment à rentrer chez moi et qu'il m'arrive encore de traîner dans cette espèce de corridor de ma conscience. Cela ne dépend pas totalement de ma volonté. C'est comme si mon navire était encore en partie bloqué dans un banc de sable et qu'il lui faille attendre la marée haute pour reprendre la mer. Encore une dizaine de vos jours, peut-être...

Que répondre à cela ? Florence m'a lancé un autre sourire forcé et je la vois maintenant s'éloigner quelque peu dans son tunnel de lumière verte.

- Où vas-tu ?

- J'aimerais que vous voyiez à quoi ressemble mon chez moi... alors, j'essaie d'y retourner pour que vous me suiviez.

- Tu parles de cela comme d'une distance physique à parcourir...

- Non, ne croyez pas cela ! Les distances physiques n'existent pas. Il n'y a que des distances mentales. Vous voyez ce tunnel où je parais marcher ? Eh bien, une fois de plus, c'est moi qui le fabrique. Je vous l'ai dit, la pesanteur de la Terre laisse encore une empreinte sur ma réalité présente, ce tunnel est son reflet. Chez moi, c'est ici, quelque part, entre les interstices de la lumière. Alors, je cherche simplement à me donner l'impression de bouger pour ouvrir un espace en mon cœur et m'y glisser. Restez proche de moi, je vous en prie...

- Il y a juste une chose que je voudrais savoir, Florence... Tu m'as parlé du temps qu'il fallait pour que les gravats d'une maison en ruines se trient d'eux-mêmes et rejoignent la nature. Toutefois, il se pourrait que les mains humaines accélèrent l'œuvre du temps en déblayant le terrain de ses décombres, ne penses-tu pas ?

À peine ai-je terminé ces mots que Florence se retourne vers moi et caresse douloureusement mon regard du sien.

- Vous voulez parler de la prière ? Mais *qui* prie parmi vous, aujourd'hui ?

- Pas nécessairement... Je voulais simplement parler de la pensée et de la force que celle-ci représente quand elle est enveloppée de compréhension, d'amour, de...

Je ne finis pas ma phrase. Florence vient d'éclater en sanglots. Sa blessure est encore trop vive et, sans le vouloir, en cherchant des mots de vérité, je viens d'en raviver la douleur.

- Ce n'est rien... reprend-elle presque aussitôt en se ressaisissant, il y a des choses à dire, c'est un marché conclu entre nous. Ici, vous et moi sommes hors du temps. Cependant, vous le voyez bien, il existe malgré tout, dans ce mystère, une sorte de sablier intérieur ou de pendule dont il faut bien accepter la loi pour tout apaiser.

Oui, c'est vrai... Des pensées d'amour ! Seules des pensées d'amour, des pensées qui sèment et qui se re-sèment pourraient sans doute raccourcir le chemin. Je ne sais pas si vous pouvez comprendre et traduire cela en paroles. Émilie et Pierre sont déjà si loin... et en même temps toujours tellement proches !

Je sens qu'une brèche se crée dans la conscience de Florence. Le seul fait d'évoquer l'amour paraît ouvrir une porte dans son espace intérieur car la structure même du "lieu" où je l'ai rejointe se modifie rapidement.

Le canal de lumière dans lequel j'ai la sensation de marcher à sa suite se fait de plus en plus cristallin. Je voudrais qu'il devienne soudain un pont afin de franchir radicalement le fleuve qui sépare les mondes.

- Tu m'as parlé de tes amis, de ta famille, Florence. Me mèneras-tu vers eux ?

Je ne sais si c'est cette interrogation qui a tout fait basculer mais, en l'espace d'un éclair, un voile se déchire... Je ne vois que de l'herbe ! De l'herbe partout ! Celle-ci est habitée d'une luminosité si pleine qu'une vive émotion m'étreint.

- C'est vers *eux* que j'espérais pouvoir vous conduire. Vous m'avez aidée et... et leur image est montée en moi avec tant de force !

Je me retourne. Florence se tient là, debout, face à moi, au milieu d'une grande prairie où gambadent quelques chevaux. Elle ressemble à une jeune paysanne toute brune et toute radieuse.

- Je... J'ai l'impression d'émerger d'un mauvais rêve, fait-elle en cherchant ses mots. J'ai fait un cauchemar...

Sans rien ajouter d'autre, Florence accomplit un demi-tour sur elle-même et se met à marcher dans l'herbe. Elle regarde ses pieds qui en foulent les touffes et je comprends qu'elle tente ainsi de dissimuler ses larmes. Sans intervenir, je la laisse s'éloigner un peu.

Comment ne pas être touché par ce qui se passe en elle ? C'est une véritable libération ! Pour la première fois depuis des mois de temps terrestre, elle respire à plein cœur et sa respiration est si poignante qu'elle rejaillit sur moi en une merveilleuse sensation de légèreté…

Oui, je vais laisser la jeune femme s'éloigner autant qu'elle en a besoin. Elle a brisé les fers de sa douleur, elle rentre chez elle et si notre histoire commune devait s'arrêter là, je l'accepterais simplement.

Devant elle qui continue de marcher, à l'extrémité de la prairie et derrière un rideau de petits arbres, je devine une maison. Peut-être une ferme et ses dépendances. Elle a l'allure d'une très vieille bâtisse avec son toit de chaume, son pigeonnier et ses murs en colombages. Un décor bucolique comme il nous arrive d'en rêver…

- C'est là… fait soudainement Florence d'une voix beaucoup plus douce qu'à l'accoutumée. C'est là que j'habitais… ou que j'habite. Je ne sais plus trop comment il faut dire. C'est là aussi que je *les* rencontre toujours. Il y seront, je les ai tellement appelés ! Vous venez ? Je n'ai pas fini, vous savez ! Il y a encore des quantités de choses que je voudrais vous dire !

Derrière de hautes herbes, j'entends le chant discret d'un filet d'eau. Je me laisse prendre par sa magie joyeuse, je m'avance, je franchis une passerelle de bois semblable à celle des cartes postales de mon enfance et me voilà bientôt dans l'allée qui mène à la maison de Florence.

Cette dernière marche devant moi, d'un air grave, sans se retourner et comme déjà projetée au-dedans de la demeure. Je ne veux surtout rien perdre de ce qui se passe et ma conscience se fait plus ouverte que jamais.

J'ai dû être emporté par le mouvement de projection d'âme de Florence car, presque instantanément, sans que je me sois vu passer le moindre seuil, je me retrouve à ses cotés à l'entrée d'une pièce dont le cœur est constitué d'une grande table de ferme. Quatre personnes sont déjà assises autour d'elle, tels les membres d'une même famille qui attendraient des convives retardataires.

C'est une étrange sensation pour moi que de m'avancer vers elles dans ce décor paraissant sortir tout droit des siècles passés. Sous mes pieds, je devine le relief à la fois doux et rude d'un sol en pisé.

Ce qui suit maintenant n'est qu'embrassades. C'est bel et bien sa famille d'âmes que Florence retrouve ici à tel point que, malgré la tâche qui m'est confiée, je me sens presque de trop au milieu de telles effusions. Je n'appartiens pas à ce monde... D'ailleurs, je m'aperçois bien que mon corps n'a pas tout à fait la même densité que ceux qui y vivent.

Pas besoin de présentations, pourtant. On sait qui je suis et ce que je viens faire là. Tout va-t-il comme je le souhaitais dans le travail entrepris ?

Je réponds que oui mais qu'il me reste tant de choses à aborder... Sur Terre, il faut à la fois consoler et responsabiliser, c'est ce que j'essaie de faire comprendre à ceux qui m'écoutent. Pourrai-je leur poser toutes les questions qui m'habitent ?

- Nous aimons tes mots... Consoler et responsabiliser. C'est ainsi que nous concevons également notre rôle, vois-tu.

À l'extrémité de la table, se trouve un homme d'une trentaine d'années, à l'allure solide et paisible. C'est lui qui m'a adressé ces quelques mots tandis que Florence se blottissait entre ses bras.

- Florence a été ma fille, voilà déjà fort longtemps, commente-t-il d'un ton protecteur. Depuis, nous avons toujours gardé ce type de liens...

Je ne peux m'empêcher de sourire tant la scène est douce à vivre.

- Je croyais pourtant que les liens changeaient d'une vie à l'autre.

- Oui... c'est vrai, mais il n'empêche que nous avons tous, dans un autre monde, un père, une mère, un grand-parent ou un ami... de prédilection. C'est... comme un pilier, un port d'attache ou une oreille tendue que l'on peut toujours appeler.

- Un guide ? Un ange gardien, en quelque sorte ?

- Oh, ni l'un ni l'autre ! Parlons... d'âme-racine, si tu veux bien. Alors, disons que je suis l'âme-racine du Ciel de Florence, son relais aimant d'une vie à l'autre, son consolateur. Nous nous sommes adoptés mutuellement pour cela. Quant aux guides ou aux anges gardiens... c'est autre chose. Tu en vois quelques-uns dont c'est la tâche ici, à mes côtés. Eux savent souvent ce que je ne sais pas ! Ils instruisent... et moi, je réconforte !

Ce faisant, le regard du "père" de Florence va se poser d'un geste plutôt amusé sur les trois autres personnes qui ont repris place autour de la table.

Rien de bien particulier chez elles, en vérité. Ce sont deux femmes et un homme, tous vêtus selon la mode d'un temps qui pourrait correspondre à celui de Florence.

En m'observant avec mes questions toutes prêtes, ils se mettent à rire. En fait d'anges gardiens, ils sont on ne peut plus humains et c'est en vain qu'on chercherait leurs ailes !

Comme j'essaie de capter le fond de leur regard tout en acceptant de m'imprégner de leur rire communicatif, je commence à comprendre que c'est là, en leur compagnie, que tout peut vraiment s'éclairer...

À vrai dire, j'ignore comment procéder. Je me sens d'abord dans une famille et ma liste implicite de questions me paraît véritablement incongrue. Nous sommes six autour de la table et je n'ai pas du tout l'intention de jouer le rôle d'un reporter ! Si je pouvais même me faire oublier pour simplement regarder et écouter...

Malgré tout, une question jaillit de moi. Impossible de savoir si je l'ai réellement formulée ou si je n'ai fait que la concevoir.

- Et vous, saviez-vous tout cela ? Saviez-vous ce qui allait arriver à Florence ?

- C'est notre avis que tu veux entendre, n'est-ce pas ? Alors, permets-nous d'abord de te demander si tu connais ta prochaine destination de voyage.

- Très franchement oui, je sais où je pars dans deux mois.

- Tu veux dire que tu penses savoir où tu vas mais, en réalité, tu ignores encore si tu feras vraiment le voyage. Tout ce qui est projeté sur Terre demeure le fruit d'une attitude de confiance et représente un pari, n'est-ce pas ?

Eh bien, pour nous ici, c'est la même chose ! Nous émettons des souhaits, nous projetons des voyages, nous parions... Vois-tu, le destin de chacun s'écrit... à chaque instant ! Les lettres n'en sont pas tracées de façon immuable. Ainsi, même de notre point de vue, il existe toujours des inconnues à décrypter, des risques à prendre, des gageures à relever. Aucun d'entre nous, dans un monde ou dans l'autre, n'est placé sur des rails. Chaque seconde de vie qui s'écoule peut devenir un carrefour. As-tu déjà pensé à cela?

Lorsqu'un être est proche de s'incarner, il le fait donc avec un nombre incroyable de probabilités, de risques et de potentiels déjà imprimés en lui. Florence s'est empressée de l'oublier dès que ses parents l'ont conçue... mais il y avait huit chances sur dix pour qu'elle nous revienne vite. Elle en a été informée.

- N'est-ce pas un peu absurde?

- La Vie, vois-tu, essaie toujours et inlassablement de se faufiler là où il y a, ne serait-ce que la plus petite place pour la recevoir. C'est sa définition première. Elle avance... De toutes les épreuves, elle fait un terrain de croissance. La Force qui se déplace au-dedans d'elle ignore totalement les notions d'échec et de réussite.

Bien sûr, Pierre et Émilie auraient grandi avec Florence à leurs côtés, c'est certain... mais ont-ils pour autant échoué à une sorte... d'examen en n'accueillant pas son âme ? Nul ne peut le dire... car, à travers leur refus, ils grandiront autrement et ils feront avancer Florence différemment. Juger est trop facile... C'est une marque d'ignorance !

Oui, Florence savait qu'elle faisait, en quelque sorte, de la corde raide. Cependant, plus elle se rapprochait, non seulement psychologiquement mais aussi vibratoirement de l'ambiance terrestre, plus elle oubliait que son risque était librement accepté...

C'est le plus jeune des trois guides qui m'a répondu. Je dis le plus jeune car telle est l'impression laissée par les traits de son visage. Néanmoins, j'ai bien conscience qu'ici l'apparence sous laquelle on se présente ne signifie rien de fixe. Elle parle seulement de l'état des lieux d'une âme, à un moment donné.

- Est-ce ainsi pour chacun ? Je veux dire... tous les êtres qui vivent l'avortement empruntent-ils forcément le même itinéraire que Florence ?

- Oh... Je pourrais te répondre que oui parce que la biologie subtile des âmes est identique pour tous ; cependant, dans les faits, une épreuve demeure toujours individuelle, donc unique.

Nous parlions de voyage, il y a quelques instants. Pour se rendre d'un point $a$ à un point $b$, tout en empruntant la même route, il n'existe pas deux hommes ou deux femmes qui accompliront intérieurement un itinéraire semblable. Un trajet ne se vit pas seulement à travers un décor. Tu sais bien qu'on l'effectue au moyen d'un véhicule plus ou moins rapide, plus ou moins approprié... et avec plus ou moins de bagages pesants dans le coffre.

- Sans parler de l'état d'esprit initial dans lequel il est entrepris et qui fait notre paysage intime, j'imagine.

- Évidemment. Alors, tu comprends le pourquoi de la modulation de ma réponse. Le voyage est identique mais il y a mille façons de le vivre, c'est-à-dire de l'accepter ou de le refuser.

- Et la souffrance ?

- Pour les mêmes raisons, elle sera ressentie différemment par chacun. Il y aura toujours des corps plus résistants que d'autres à la douleur et des âmes plus émotives que d'autres. En fait, la taille d'une épreuve est subjective. Elle varie en fonction de notre force à l'affronter.

- L'ai-je bien affrontée, moi ? intervient alors Florence en se dégageant de l'étreinte affectueuse de son "père".

- Tu l'as traversée... en conscience, c'est-à-dire, nous a-t-il semblé, avec un mental très puissant et une lucidité qui ont dû te faire mal.

- Mais je voulais comprendre et me réveiller... Il fallait que je m'en sorte au plus vite...

- C'est là toute l'histoire de l'aventure humaine, Florence ! Si on dort, on s'enlise sous le poids de l'ennui mais dès que l'on commence à sortir de sa torpeur pour se libérer et s'envoler, on rencontre l'écartèlement. As-tu déjà vu une graine germer sans faire éclater sa gangue ? Crois-tu que la force de Vie qui l'anime, aussi primaire soit-elle, ne connaisse pas les douleurs de l'enfantement ?

Maintenant, écoute... Pour ceux qui auraient pu être tes parents, les règles du jeu ne diffèrent pas, sois-en certaine ! Pierre et Émilie se sont posé des questions à la dimension de leur ouverture de conscience et de leur sensibilité. Leur peine a été à la mesure de leur cœur et, évidemment, de leurs facultés de compréhension.

- Et leur responsabilité, dans tout cela ?

C'est d'abord un sourire qui apporte sa réponse à Florence puis la voix reprend, avec la même douce patience.

- Leur responsabilité ? Mais... elle est tout naturellement proportionnelle à leur éveil ou à leur degré de lucidité, si tu préfères. Quant au manque d'amour, c'est autre chose. C'est bien là que se situe le nœud du problème. L'amour que l'on a en soi ne résulte jamais du type de culture dont on hérite ni d'une somme d'informations à laquelle on a accès ou pas. Il est... autre chose. Tu sais bien, nous l'appelons parfois le baromètre de l'âme. On ne l'implante pas tel un programme dans le fonctionnement cérébral de l'être.

Et puis... il existe *ta* responsabilité, Florence. Nous en avons déjà parlé. La trame d'une grossesse qui se prépare se dessine à trois. Il y a la rencontre des parents et...

- Et cela aurait pu être une autre âme que la mienne ! lance alors Florence comme par défi.

- Cela aurait pu, oui ! Il y a des milliards de consciences qui cherchent un corps de chair quelque part dans l'univers. C'est exact. Cependant, tu les as toutes dépassées. Tu les as toutes disqualifiées simplement parce que ce que tu as écrit au fond de toi au fil des temps répondait étonnamment aux pages blanches du livre commun entrepris pas Émilie et Pierre. C'est cela la vérité de vos retrouvailles écourtées et de toutes celles qui parviennent à s'écrire. Le hasard ? Nous ignorons ce que c'est, ici !

À un autre niveau, crois-tu qu'il y ait la moindre place pour un hasard dans la course effrénée d'une myriade de spermatozoïdes vers un ovule unique ? Chacun sait qu'il y en a *un* seul qui va agir tandis que les autres repartiront pour un tour dans la ronde de la vie. Pourquoi lui plutôt qu'un autre ? Parce que dans l'infiniment petit comme dans l'infiniment grand, il n'existe pas deux formes de vie parfaitement identiques. Il y en a de plus mûres, de plus aimantes... ou de plus fortes que d'autres.

Souviens-toi, Florence, que même au cœur du cœur de l'atome, l'intelligence n'est pas un vain mot.

Je regarde Florence qui ne dit plus rien. Elle ne fait qu'acquiescer doucement d'un petit signe de la tête et je comprends que tout cela lui avait déjà été enseigné.

C'est l'une des femmes ayant pour mission de la guider qui prend maintenant la parole. Je m'attends à ce qu'elle renchérisse par rapport à ce qui vient d'être affirmé mais non... Les mots qu'elle prononce me sont adressés.

- La naissance, l'avortement, la mort... Tout cela illustre le même principe. Ce sont des métamorphoses. Certaines viennent en un temps estimé juste alors que d'autres sont précipitées. Seule la façon dont on est capable de les vivre leur donne un impact plus ou moins important. Ainsi, dans sa naissance comme dans sa mort, une âme trouve son chemin... ou ne le trouve pas, en fonction du degré de clarté qui l'habite.

Quant à l'amour, tu l'as vu, au départ et à l'arrivée c'est lui le vrai passeur, la poudre magique dont on va emplir les bagages du voyageur pour qu'il élargisse sa route. S'il existe un drame, en vérité, ce n'est pas celui de la mort. Il est plutôt dans le fait de s'égarer entre les mondes.

- Veux-tu me dire que Florence aurait pu traîner longtemps encore dans les dédales de sa peine ?

- Florence, non... Son âme est suffisamment adulte. Mais c'est ce qui arrive à bien des êtres que des parents n'ont pas voulu accueillir. Ils deviennent alors les victimes de leur immaturité. Le chemin qu'ils parcourent entre les univers devient aussi flou que leur propre compréhension de la vie et de qui ils sont.

Évidemment, tu comprends aussi que tout dépend du moment où l'âme se voit expulsée de son fœtus... Plus le temps passe, plus le choc est important. C'est la logique même parce qu'il n'y a pas que la psychologie de l'être qui intervienne.

Une autre question veut maintenant jaillir de moi. Il faut que je la pose très directement.

- Est-ce qu'ici, de l'autre côté du rideau de la vie, vous considérez l'avortement comme un meurtre ?

Les trois âmes-guides de Florence se regardent un instant avant de me considérer à nouveau. À vrai dire, j'ignore laquelle entreprend de me répondre tant ce qui se dégage d'elles ne constitue qu'une seule force, presque impersonnelle à cet instant.

- Un meurtre ? Vois-tu, il n'y a pas de juge en ce monde. Il appartient seulement à chacun, dans le fond de son cœur, de déterminer s'il a été meurtrier ou pas. Des êtres comme nous ont pour unique fonction d'aider chacun à déblayer sa jungle intérieure. Des accoucheurs ne sont pas des fossoyeurs. Ils accueillent ce qui se présente... et ils apprennent eux-mêmes au moyen de ce que la Vie place entre leurs mains.

Nous comprenons pourtant que tu espères une réponse plus précise, disons... moins métaphysique. Alors, entrons dans des considérations plus concrètes.

Chaque histoire d'avortement est unique en elle-même en raison du réseau de liens extraordinairement complexes existant entre les personnes humaines, cependant il y a des grands schémas qui méritent un regard particulier et qui font qu'aucune réponse catégorique ne peut jamais être donnée.

Pense aux malformations graves, pense aux viols... Il ne s'agit pas d'en accuser systématiquement le karma en posant un regard puéril sur sa mécanique. Chaque individu, en conscience, demeure seul maître de lui-même, de ce qu'il estime être capable de vivre ou pas. Juger de ses décisions et condamner celles-ci sans appel reflète, à nos yeux, un comportement primaire.

Note bien ceci, avant tout : lorsqu'il est question de porter un jugement sur un être, que le procès soit effectif ou simplement d'ordre moral, l'épreuve à passer peut s'adresser tout autant au juge qu'à l'accusé.

Ici, nous vivons dans la réalité de l'âme. Il n'existe aucune fiche signalétique par individu et, par conséquent, aucune main pour y cocher des cases. Chacun, au fond de son cœur, finit par pouvoir porter lui-même un vrai regard sur ce qu'il a fait, ainsi que pourquoi et comment il l'a fait. Et... en toute vérité, ce pourquoi et ce comment sont souvent plus importants que l'acte lui-même car ils représentent ce qui suit la conscience dans ses profondeurs, ce qui y sème lumière ou ombre.

*Ce qui remplit le cœur, c'est ce qui remplira la mémoire de l'âme.* Lorsque l'on a compris ce principe, on a compris beaucoup de choses. On se trouve alors moins prompt à bannir ou à prononcer de dures sentences.

Mais puisque nous en sommes à parler de meurtre et de jugement, ne penses-tu pas que c'est aussi à Florence que ton questionnement devrait s'adresser ?

Ces mots prononcés d'une façon un peu malicieuse viennent soudainement de redistribuer les cartes autour de la table. À ma droite, Florence s'est redressée. Grave et pleinement centrée, elle se tient maintenant debout à côté de son père.

- Mais oui, Florence... commente celui-ci. Tu ne peux pas le nier. C'est en grande partie toi qui vas décider de la suite de cette histoire. Nous cherchons simplement à te dire que le regard que tu finiras par poser sur tout ceci sera déterminant.

La question est très claire : vas-tu nourrir un profond ressentiment envers Pierre et Émilie ? Si tu conserves une douleur, si tu brides une colère ou encore si tu contiens une violence en réserve au fond de toi, tu retrouveras celles-ci sur ta route lors de ta prochaine incarnation. Alors, n'entretiens pas l'idée que ceux qui auraient pu être tes parents ont une dette envers toi, ni même que la Vie te doit réparation.

- Oui, je sais, on me l'a répété cent fois... « Les traumatismes de la conscience sont des problèmes de digestion de l'âme qui ne veut pas sortir de son rôle de victime... » C'est évident, mais...

- Mais ?

Florence ne répond pas. Je la regarde qui baisse la tête, puis qui semble se réfugier dans son monde intérieur. C'est un peu comme si elle se décevait elle-même et se disait : « Comme nous demeurons encore humains, de ce côté-ci du miroir ! » Enfin, elle réagit d'une voix lasse.

- Mais... ce que tu énonces pour moi est aussi vrai pour Émilie. Je l'ai rencontrée, sais-tu ? Nous nous sommes parlé. De la peine et peut-être de la colère, elle s'en fabrique déjà... Alors, il n'est pas nécessaire que je la juge, elle le fait d'elle-même ! Elle pleurait...

Cette fois, c'est le plus jeune des guides qui lui répond.

- Écoute, le fond de son être et ce qu'elle y place lui appartiennent mais, pour nouer un véritable karma, un de ceux qui collent à l'âme, il faut généralement être plusieurs à se réunir autour du même métier à tisser. Disons qu'il y a ceux qui ont un corps de chair et qui disposent sur son cadre un fil de trame et ceux qui, comme toi sur l'envers du décor, ont la liberté de répondre ou non à l'invitation au tissage. Une blessure entretenue unilatéralement s'éteint toujours plus vite qu'une autre.

Ainsi, vois-tu, après un choc tel que celui de l'avortement, par exemple, le premier qui décrète l'état de paix pour lui-même l'insuffle nécessairement à l'autre. Lorsqu'on attend trop, le contre-poison est plus difficile à trouver.

C'est simple... Il faut qu'Émilie et toi pleuriez si vous en avez besoin. Il serait nocif que vous reteniez vos larmes. Un deuil, cela se vit jusqu'au bout, cela doit s'épuiser totalement pour se dépasser... Comprends-tu cela ? L'être humain fonctionne parfois comme ces batteries qu'il faut complètement vider de leur énergie avant que de les mettre à nouveau en charge ! Retrouve Émilie aussi souvent que tu le peux durant son sommeil. Pas besoin de mots, embrassez-vous et pleurez ensemble tout votre saoul si besoin est !

Mais voilà que le guide de Florence se tourne soudain vers moi et me livre ces quelques paroles :

- Tout ceci est fondamental, aussi notre souhait serait que tu t'en fasses fidèlement l'écho... Il est grand temps de jeter des ponts nouveaux entre les différents mondes. Le fleuve-frontière que la peur et l'oubli ont progressivement fait serpenter entre eux est bien plus franchissable qu'on ne le croit. Alors, dis-le...

Si tous ceux qui ont refusé la venue d'un enfant parmi eux pouvaient, durant quelque temps, lui donner doucement rendez-vous pendant leur sommeil, comme ce serait bon et réparateur ! Oui, tu l'as vu, les âmes connaissent le chemin qui leur permet de se retrouver dès qu'elles entrent dans un autre état de conscience. Point n'est besoin de mots, d'arguments, ni d'explications. Il faut juste apprendre à se retrouver au-delà des jugements et bien au-dessus des "il aurait fallu que" et des "j'aurais dû".

Toute femme et tout homme concernés ont le devoir d'appeler de tels rendez-vous, chaque soir, du plus profond de leur cœur, juste avant de se laisser gagner par le sommeil[1]. Tu le sais bien, toi... La nuit n'est pas le gouffre d'inconscience ou de torpeur que l'on en fait. Elle constitue le théâtre d'une autre action tout aussi effective que celle qui se joue dans la chair. Que l'oubli tire son rideau sur elle ou que le mental incarné la distorsionne importe peu... La vérité reste la vérité. La vie s'interprète à plusieurs niveaux et n'en faire qu'une réalité unidimensionnelle revient à se déplacer en hémiplégique dans un paysage aux horizons embrumés.

On peut, bien sûr, contourner une telle réflexion et vivre sa vie sur Terre comme on consommerait gloutonnement et égoïstement un repas, c'est-à-dire en se servant les meilleurs morceaux puis en allant se laver les mains. On le peut et c'est ce que beaucoup de ceux qui y sont présentement incarnés ont appris à faire. Seulement voilà, un repas ne dure qu'un temps. Pour reprendre la comparaison de Florence, vient ensuite l'heure de la digestion. Et c'est là où chacun se retrouve seul. Évidemment, il est

---

[1] Voir, en fin d'ouvrage, l'exercice conseillé à ce propos.

possible de se soulager l'estomac par une pilule... ou la conscience par une confession mais, si on n'y prend pas garde on a tôt fait, avec l'habitude de l'inconséquence, de s'encrasser les artères.

Oui, l'âme humaine peut s'intoxiquer. Il faut le dire et en expliquer les raisons. C'est pour cela que nous avons incité Florence à te faire partager son voyage.

De chaque côté de ce qu'on appelle la vie et la mort, les grandes règles sont les mêmes. Le Jeu Suprême qui les englobe les fait agir en simultané et en interdépendance... Et c'est merveilleux lorsque l'on s'aperçoit de cela !

Florence s'est rapprochée d'un fauteuil tandis que je finis de recueillir ces paroles. Elle s'y abandonne maintenant sans réserve. Comme elle a l'air lasse dans sa longue robe bleue qui me paraît presque trop grande pour elle ! Elle l'est sans doute, d'ailleurs, au terme de cet aller-retour entre un ventre qu'elle aurait voulu idéal et ce foyer à l'image des plus profondes aspirations de son âme.

Un long et paisible silence s'est installé dans la pièce qui nous a réunis et il y a quelque chose de tendre et d'aérien qui nous enveloppe. Je jurerais qu'il est dégagé par Florence elle-même, Florence qui, dans son coin, la tête abandonnée sur une épaule, s'assoupit lentement

Avec le souffle de sa présence qui s'endort, c'est tout le théâtre de son monde qui va se mettre entre parenthèses... Que me reste-t-il à faire, alors, que de me réveiller à mon propre corps ?

# Chapitre IV

## Blessures et confessions

Je ne sais pas combien de fois le soleil s'est levé depuis mon dernier contact avec Florence... Je n'ai pas compté les jours. "Là-haut" comme "ici bas", on a parfois besoin de dormir et on cherche juste un cocon de tendresse.

Même de retour chez elle, c'est-à-dire dans le décor cher à son cœur, Florence réclamait cela et je sais ne pas avoir été le seul à m'estomper pour respecter son rythme. Ses guides et son père, son "âme-racine", ont rejoint de leur côté un autre monde... d'autres fréquences de vie.

Si aujourd'hui je suis à nouveau près d'elle, c'est seulement parce que le lien subtil qui commence à exister entre nous a véhiculé son signal, une sorte d'intuition profonde me disant que c'est le bon moment.

Florence a mûri, elle s'est encore un peu plus pleinement retrouvée. D'ailleurs, le décor dans lequel elle m'accueille n'a plus rien à voir avec celui de notre dernière rencontre.

Nous sommes dans un jardin disposé en terrasses sur les bords d'un lac. Il y a là de longues colonnades entre lesquelles jouent et s'élancent des rosiers en fleurs, il y a là aussi de larges escaliers de pierre et leurs vasques d'où s'échappent des plantes en grappes abondantes. Il semble que nous y avons d'abord rendez-vous avec la douceur et j'avoue qu'il serait tentant d'oublier les préoccupations qui m'ont fait répondre à l'appel.

Pourtant, il me sera impossible d'ignorer bien long-temps les raisons qui ont poussé mon corps de lumière à se rendre jusque là. Florence n'est pas seule... Assises sur des murets ou à même le sol, une douzaine de person-nes bavardent autour d'elle tout en accordant une atten-tion particulière à mon arrivée. Ce sont manifestement des amis, une sorte de famille d'âmes comme toutes cel-les qui se reconstituent sur ce versant de la vie...

- Je fais mon chemin avec vous, j'essaie de tout inté-grer, alors c'est pour cela que je voulais vous amener ici... Il serait dommage que vous n'ayez que moi pour témoin car mon histoire n'est jamais qu'un exemple parmi des millions d'autres... J'ai commencé à ouvrir des portes pour vous et j'ai rassemblé tous ces amis que vous voyez. Ils ont quelque chose de différent à vous raconter. Vous verrez, leurs réflexions sont des clés...

Je n'ai plus qu'à m'asseoir, moi aussi, sur l'un des murets de pierre de la terrasse, m'asseoir et écouter. Les uns après les autres, je rencontre les yeux de tous ceux qui sont là. J'en remarque d'infiniment vieux et d'autres imprégnés, au contraire, par le simple éclat de l'adoles-cence. Étrangement, je ne m'attarde même pas sur le fait que certains soient féminins ou masculins. Ce sont des regards d'âme et seul cela me touche.

- Savez-vous pourquoi Florence nous a réunis ici? me demande l'un d'eux. C'est simple. Tout comme elle, nous voulons participer à un mouvement d'éveil quant à ce qui se passe aujourd'hui sur Terre. Ce que nous avons vécu est au cœur d'un grand débat et nous ne voulons pas rester muets.

Écoutez... Mes amis et moi avons tous vécu plus ou moins récemment ce que vous appelez parfois pudiquement "l'interruption volontaire de grossesse pour raison eugénique". En d'autres termes, nous avons connu l'avortement thérapeutique. Si chacun de nous a une histoire bien spécifique à vous livrer, ce sont néanmoins nos réflexions communes qui peuvent faire progresser la vie. C'est dans cette optique-là que nous nous sommes rassemblés.

Tout d'abord, ne croyez pas que, tels que vous nous voyez, nous sortions fraîchement de l'épreuve que représente toujours un avortement, quelles que soient ses motivations. Nous aussi nous sommes passés par nos labyrinthes intérieurs, nous avons connu peur, solitude et douleur avant de nous reconstruire du dedans en rassemblant les éléments de notre identité. Vous savez tout cela avec Florence. Vous avez compris que chacun émerge de ce côté-ci de la vie en fonction de son degré de conscience, de sa vigilance et de sa volonté.

La tâche que nous nous sommes assignée consiste à essayer de vous faire comprendre le pourquoi et le comment de ce qui nous a poussés à entrer dans un embryon puis un fœtus présentant un lourd handicap.

- Oui, pourquoi? On parle des jeux du hasard à travers la génétique, on invoque les ratées de la nature et aussi, évidemment, l'absorption par le corps de certaines substances chimiques. Mais dans tout cela, en définitive, il n'est question que de la surface du problème. La vraie question est celle que vous avez posée : «Qu'est-ce qui fait qu'une âme prend possession d'un corps gravement malformé et se place donc, dès le départ, en position de vivre une mort par avortement ? » Ensuite, y en aurait-il un, parmi vous, qui n'aurait pas pris conscience d'une telle situation avant de commencer à s'incarner ?

- Oh! tous les cas de figure peuvent exister... avance du bout des lèvres une présence paraissant encore adolescente et qui se tient debout, adossée à l'une des nombreuses colonnes de notre terrasse. Si l'on entame le processus de la descente dans un corps alors que notre âme est immature et donc engourdie... on ne s'aperçoit de rien. On subit le phénomène, c'est tout. Mais cela n'a rien à voir avec nous tous, ici. C'est notre lucidité qui nous permet de pouvoir porter témoignage... de la même façon que c'est cette même lucidité qui a éveillé en nous le sentiment de souffrance. Dans tous les cas, c'était une initiation, voyez-vous ! Une porte très étroite par laquelle il nous fallait passer...

- Et faire passer d'autres êtres, quelque part sur Terre...

- Oui... Tout cela est lié. La distribution des rôles ne se fait pas sur quelques coups de dés. Elle répond aux lois et aux impératifs d'une organisation de la vie infiniment plus subtile qu'on ne le croit. Alors, dites-le bien, la génétique ne représente donc que le dernier maillon de cette organisation, celui qui va permettre d'incarner une nécessité.

- Ainsi vous saviez tous, ici, que votre corps était en quelque sorte... programmé pour une grave malformation et que votre mère refuserait d'aller jusqu'au bout de sa grossesse ?

- Nous connaissions la nature de notre handicap... Quant à la réalité de notre avortement, elle n'était qu'en probabilité. Ce qui fait l'une des grandeurs de l'esprit humain, c'est sa liberté donc son aspect imprévisible !

Les regards s'animent au sein de notre petite assemblée. Florence, quant à elle, s'est mise un peu en retrait. Elle s'est tournée vers le lac et ses horizons montagneux. On la dirait absente et simplement satisfaite d'avoir orchestré une telle rencontre, cependant je la devine maintenant assez pour savoir qu'elle ne perd rien de chaque parole prononcée.

- Est-ce donc une angoisse constante que vous avez vécue dans l'ambiance d'un embryon ou même déjà à l'intérieur d'un petit fœtus mal formé ?

Chacun, je le vois, voudrait s'exprimer mais c'est une présence masculine, cette fois-ci, qui ravit la parole aux autres.

- Pas nécessairement... En ce qui me concerne, je me sentais même incroyablement serein. Vous savez, tant que nous sommes en lien conscient avec la vraie demeure de notre âme, les épreuves que nous savons devoir se présenter à nous peuvent prendre une tout autre apparence.

Le handicap que j'avais était d'ordre psychique. Une fois incarné, je n'en aurais pas eu conscience. J'aurais eu une vie entre parenthèses, j'aurais retrouvé ma réalité et mon vrai monde dans mes espaces de sommeil. Pour le reste, je n'aurais jamais été que comme un tout petit enfant perpétuellement engourdi et seulement capable de se raccrocher aux yeux de ses parents.

L'épreuve, comprenez-le, n'aurait pas vraiment été pour moi mais pour ceux qui devaient m'accueillir et me prendre en charge. J'étais le test et le point d'interrogation que l'Intelligence de Vie plaçait sur leur route. Je n'avais fait qu'accepter d'être cet instrument... parce que c'était aussi sur ma route. Accepter un demi-sommeil sur Terre, je ne voyais pas cela comme quelque chose de si terrible. Tout au moins pour moi.

Alors l'angoisse ? Non... Non, hormis l'instant même de mon avortement. Celui-ci s'est produit d'une façon... disons, purement technique, aseptisée, sans émotion ni a-mour. De cela oui, j'ai souffert. Pour ceux qui ont refusé ma venue comme pour ceux qui ont déclenché médicalement mon départ, je n'étais pas une âme mais seulement un peu de chair trop désorganisée. J'ai été fort et je suis vite remonté à ma propre surface sans tomber dans la rébellion.

Cependant, j'en connais de moins solides que moi et qui, par manque de mots d'amour, ont reçu une profonde blessure au cœur dans des conditions analogues aux miennes. Je vois bien que lors de leur prochaine venue au monde de la Terre, ils marcheront avec une grave carence affective. Une peur, un manque qu'aucun argument "raisonnable" ne pourra expliquer.

Encore une fois, il n'y a pas réellement de règle générale. L'être humain n'est pas uniforme, il y a des millions de barreaux sur l'échelle de sa réalité corporelle et affective.

- Moi, j'ai été très blessée...

La réflexion vient d'une présence dont l'apparence est celle d'une fillette d'une dizaine d'années. Celle-ci se

80

montrait si discrète dans sa petite robe jaune que je l'a-
vais à peine remarquée.

- J'ai été vraiment blessée parce que mon handicap
n'était pas si important... Il me manquait juste le bras
gauche. Je pouvais vivre comme cela, vous comprenez.
J'aurais même dû vivre de cette façon. Mon âme avait
quelque chose à apprendre, dans la patience, la tolérance
et la compassion. Ce n'était pas facile, mais j'avais choisi
cela... Je voulais cultiver toutes ces qualités.

- Peux-tu m'en dire davantage ?

- Oh, mon histoire n'est pas compliquée... Je sais
avoir vécu une existence durant laquelle je me suis mon-
trée extrêmement dure, intolérante et même méprisante
envers les personnes qui présentaient une disgrâce physique ou une anomalie. Je ne sais pas comment dire...
C'était pour moi quelque chose de répugnant, quelque
chose qui me faisait peur... comme si le handicap d'un
corps témoignait d'une souillure de l'âme ou encore
comme s'il était contagieux.

La seule façon de me guérir de cette attitude stupide
et si peu aimante était d'accepter de m'incarner moi-
même avec un corps en partie malformé. Vous savez, la
compassion cela vient de l'intérieur... Il ne faut pas la
voir tel un cadeau du Ciel qui nous serait remis, comme
cela, un beau jour ! J'ai compris que pour qu'elle pousse
en nous, il fallait que l'on s'en donne les moyens, c'est-à-
dire qu'on accepte de faire tomber nos écailles en appre-
nant à éprouver ce que l'autre éprouve.

Mais n'allez surtout pas en conclure que tous ceux à
qui il manque un bras ou une jambe ont la même histoire
que moi ! Non, je voulais seulement vous parler de mon

expérience parce qu'elle a été vraiment douloureuse et qu'elle devrait faire réfléchir.

Je voulais vivre, voyez-vous ! Alors, lorsqu'à l'issue des examens médicaux, mes parents ont pris la décision de ne pas me faire venir parmi eux, j'ai vécu cela comme un échec personnel. Un rejet d'autant plus important qu'ils étaient conscients qu'il y avait "quelqu'un" dans le fœtus.

- Ils ne se sont pas sentis assez forts ou pas suffisamment à la hauteur de ce en quoi ils croyaient ?

- Ce n'est pas vraiment cela… Ils voulaient quelqu'un de parfait à tous les niveaux. Quelqu'un qui aurait été à la hauteur exacte de leurs aspirations… c'est-à-dire de leur conditionnement. Dans le milieu nord-américain qui est le leur, il est de rigueur de paraître irréprochable ; ils auraient vécu mon handicap comme une honte ou la preuve d'une tare personnelle.

En fait, ils n'ont pas compris… Ils n'ont pas compris qu'ils ne croyaient pas en ce qu'ils croyaient. Toutes les fins de semaine, ils continuent d'aller à l'office religieux. Ils ont prié pour se faire pardonner mais c'est tout. Ils ont prié un dieu d'images pieuses, tout en teintes pastel. Quant à moi, ils ont eu vite fait de gommer mon prénom de leur mémoire. Il y a des personnes comme cela, vous savez, qui ont une extraordinaire capacité à ne pas laisser de place en elles pour ce qui les trouble.

La petite fille de dix ans qui vient de terminer ces mots l'a fait avec une pointe d'amertume qui me surprend tant elle détonne avec la sérénité des jardins qui nous accueillent. J'ai besoin d'en savoir davantage.

- Étais-tu donc si certaine que tes parents allaient vouloir de toi dans les conditions où tu avais décidé de venir vers eux ? C'est cela qui m'étonne...

Il y a un long silence entre nous. Deci, delà, je recueille quelques sourires puis mon interlocutrice parvient enfin à me répondre.

- Je ne suis pas là pour tricher, me dit-elle. Si j'ai voulu... venir jusqu'ici pour vous rencontrer, c'est afin d'être vraie. En réalité, moi aussi, je voulais une famille vraiment parfaite. Propre, bien éduquée, irréprochable... et croyante. Je pensais que cela m'aurait donné davantage de chances et que je pourrais ainsi compenser... pour mon bras manquant. Mes guides m'ont laissé faire. J'étais tellement certaine de moi !

- Peut-être renouais-tu ainsi d'anciens liens avec ceux qui étaient sensés t'accueillir ?

- Non... Je croyais que ce serait mieux ainsi puisqu'il n'y aurait aucune dette karmique ni d'un côté ni de l'autre et qu'il serait alors plus facile de commencer une histoire toute neuve.

C'est là où je me suis abusée. Je me suis crue plus adulte que je ne l'étais. Vous pouvez sourire, vous savez, je ne m'en froisserai pas. C'est en prenant conscience de cela que, de retour ici, je me suis confectionné spontanément, en pensée, un corps d'enfant. Je ne peux plus me concevoir que de cette façon. Il me semble que c'est plus doux, plus sécurisant. J'ai besoin de cette sensation jusqu'à ce que ma plaie soit vraiment refermée.

Alors, la réalité est là... J'ai ma part de responsabilité dans ce qui est arrivé.

En entendant ces mots qui ont soudain pris les accents d'une confession plutôt douloureuse, Florence se tourne vers nous et abandonne son mutisme.

- Mais Suzie, fait-elle avec un voile d'émotion dans la gorge, tu n'avais donc pas essayé de rencontrer tes futurs parents pendant leur sommeil ? Nous faisons tous cela aussi souvent que possible dès que leur conscience quitte leur corps !

- Bien sûr, je l'ai fait... En théorie, l'un et l'autre étaient d'accord avec moi. Ils avaient placé une telle naissance comme une possibilité sur leur route. C'était une sorte d'épreuve pour les attendrir et leur apprendre à briser des schémas erronés. Dans nos brefs espaces de rencontre, ils en convenaient avec moi.

- Vous ne parveniez pas à vous parler longuement ?

- À vrai dire, il n'y avait pas vraiment de pont solide entre nous. Nous ne réussissions pas à nous apprivoiser mutuellement et totalement. Tu sais bien ce que c'est... Nous étions comme ces couleurs qui ne se marient pas de façon évidente. En fait, je m'aperçois maintenant que chacun essayait de passer une sorte de contrat avec l'autre comme pour répondre à une nécessité de sa propre évolution. Mais ce n'est pas ainsi que tout devrait se dérouler, non... Est-il nécessaire de dire ce qui nous manquait ?

De toute façon, je me suis rendu compte qu'au matin, à leur réveil, ils ne gardaient en eux aucun souvenir des petits moments privilégiés passés ensemble. Pas même l'éclat d'un regard ni seulement la sensation d'avoir vécu *quelque chose de différent*.

Vous savez tous qu'il y a des personnes comme cela. Chez elles, il existe une sorte de distance impressionnante entre leur réalité de chaque jour, leur rôle social et leur âme profonde. Il n'y a pas, ou presque pas, de perméabilité entre les différents niveaux de leur être. Et cela n'a rien à voir avec leur culture ni ce en quoi elles croient! C'est une question de... vernis intérieur qui n'arrive pas à se craqueler, par peur et par protection sans doute. Moi, je ne l'ai pas vraiment compris à temps, il a fallu que je me brûle...

Mais, vous voyez, ajoute Suzie en osant enfin s'adresser directement à moi, c'est peut-être mieux ainsi. Il y a tant d'enfants qui naissent au sein d'une sensibilité qui ne correspond pas à la leur!

- Penses-tu que cela puisse expliquer certaines des incompatibilités que l'on est bien obligé de constater entre des enfants et l'un ou l'autre de leurs parents, si ce n'est les deux?

- Oh, je ne suis qu'une âme qui apprend et je ne peux vous répondre qu'à la hauteur de ma compréhension... Je pense que cela peut l'expliquer en partie, oui. Les vieux contentieux que l'on traîne d'une vie à l'autre jouent leur rôle, bien sûr, mais l'absence totale de perméabilité entre les âmes qui apprennent juste à se connaître intervient aussi. C'est pour cela qu'il n'est pas cohérent de porter le moindre jugement ni d'étiqueter catégoriquement des comportements ou des situations. Il existe autant de scénarios que d'êtres humains.

Si nous nous faisons tous souffrir, c'est parce que nous avons tous quelque chose à apprendre. Moi, je tâtonne... Mais le pire, c'est lorsque l'on ne veut pas reconnaître que l'on tâtonne, que ce soit d'un côté ou de l'autre du grand rideau. Le pire, c'est l'aveuglement librement choisi et la surdité entretenue comme options de base à une vie.

- Alors, tu arrives à ne pas juger tes parents, Suzie ? intervient à nouveau Florence.

- Disons que c'est l'idéal que j'essaie d'atteindre. Je crois que je parviens juste à comprendre intellectuellement leur peur face à ma malformation. Ils avaient déjà un petit garçon de cinq ans qui était si parfait ! J'aurais rompu leur harmonie familiale...

Alors, ma question est celle-ci : « Qu'aurais-je fait à leur place ? ». Je commence seulement à savoir que c'est face à l'obstacle que l'on a la possibilité de se mesurer à ses propres limitations. Autrement, oui, c'est certain, même notre cœur peut se mentir à lui-même !

Pour beaucoup d'entre nous, l'amour reste un concept encore trop vague. Nous sommes capables de l'imaginer très profondément enraciné en soi et bien protégé par quelques grands principes, tandis qu'en réalité, il ne représente qu'une fine pellicule de surface.

Le discours que vient de tenir la "petite" Suzie a indéniablement jeté un voile de mélancolie sur l'assemblée qui m'accueille. Au-dessus du lac, le ciel s'est teinté de mauve et les colonnades de pierre ont perdu de leur éclat. Je le remarque d'autant plus que notre discussion s'est soudain suspendue. Chacun, dirait-on, s'est réfugié dans ce qui me fait songer à une apnée de l'âme. Des souvenirs individuels et autant de vieilles questions ont été remués chez tous ceux qui m'entourent et cela rejaillit inévitablement sur la structure du monde qui est le leur.

Force m'est de constater une fois de plus que l'univers dans lequel je suis amené à pénétrer depuis le début de ma rencontre avec Florence est décidément bien proche de notre monde. D'une certaine façon, seules nos pensées y acquièrent une force supplémentaire. Ce sont elles qui construisent ou encore détricotent sa réalité immédiate. Je n'ai pas été invité ailleurs que dans une sphère de conscience où on cherche à comprendre le sens d'une épreuve et où on est assez éveillé pour espérer se réveiller davantage.

J'aurais envie de dire que c'est une sorte de doux "Purgatoire" non pas conçu *pour* mais *par* des âmes manifestant une sensibilité commune.

Va-t-il alors s'effacer devant mes yeux ou vais-je en être expulsé pour réintégrer brutalement mon corps ? Tout me semble possible. Pourtant, les questions se précipitent encore... Peut-être est-ce leur présence en mon esprit qui me maintient face à Florence, à Suzie et aux autres... Sans attendre davantage, je romps le silence.

- Il y a une chose qui me frappe... Apparemment, vous êtes tous issus du monde occidental de la Terre. Vous êtes de la même société et c'est cela qui vous a fait vivre l'avortement thérapeutique. S'il n'y avait pas eu de dépistage de vos malformations, vous seriez nés... La technologie médicale a donc tout bouleversé, même de ce côté-ci. De votre point de vue, croyez-vous que ce soit un bien dans l'organisation profonde de la Vie ?

À peine ai-je terminé ma phrase qu'un homme à la peau très pâle et aux yeux clairs prend les devants. C'est le seul à être assis sur un siège, un de ces fauteuils de rotin tressé que l'on dispose habituellement dans les jardins d'hiver.

- Écoutez, me dit-il, j'ai été médecin en Grande-Bretagne au XIX$^{\text{ème}}$ siècle. Nous ne disposions de rien ou de si peu ! Alors justement, j'ai beaucoup réfléchi au problème que vous soulevez. J'ai assisté à des drames et j'ai parfois mis au monde des êtres... éprouvant leurs parents.

Aujourd'hui, avec tout ce que j'ai vécu depuis et la réflexion que j'ai menée avec mes guides en ce monde, j'ai compris que nous grandissons aussi par notre libre-arbitre. C'est à travers les choix auxquels elle a à faire face qu'une conscience trouve la possibilité de croître.

Vous voyez, on peut bien sûr dire que le respect absolu et muet des décisions de la Nature à travers un corps humain est une sagesse... Cependant, on peut penser aussi que l'Intelligence de la Vie nous offre à un moment donné de notre évolution la possibilité de prendre en main, jusqu'à un certain niveau, notre devenir. Pour moi, il ne s'agit pas de contrecarrer les lois naturelles ou d'aller à l'encontre des... propositions divines mais de réaliser à quel point la possibilité croissante d'user de notre libre-arbitre constitue un pas important vers une plus grande floraison de soi. Je crois qu'il est logique que notre rapport à la vie change.

Alors oui, à mon sens, c'est un bien de pouvoir porter un regard thérapeutique sur un fœtus avant sa naissance. C'est un bien que de pouvoir se poser les vraies questions quant au sens et à l'opportunité d'une épreuve qui vient vers nous.

Je crois également qu'un choix ne nous est jamais donné "gratuitement". Il est un test de vérité. Pas seulement au niveau du cœur, mais aussi à celui de la simple lucidité, de la logique ou de la volonté. Les réponses, croyez-moi, ne peuvent être qu'individuelles parce qu'aucune histoire de vie ne ressemble à une autre.

Certains prétendent qu'il suffit d'aimer sans réserve pour pouvoir accueillir un être gravement atteint dans son corps ou son mental. Je n'en suis pas sûr... Il faut aussi de la force physique et de la résistance morale. Quant aux ressources matérielles suffisantes, on ne peut les passer sous silence. N'en faut-il pas pour assurer une vie décente à l'être que l'on décide de recevoir envers et contre tout ? J'ai vu des couples et des familles entières se désintégrer pour avoir présumé de leurs forces ou pour ne pas affronter un dogme religieux.

Vous me direz qu'une telle désintégration faisait sans doute partie de leur karma. Je n'en suis pas si sûr non plus ! Un karma se bâtit à chaque instant. Plus on agit en être lucide et autonome et moins on y scelle de choses lourdes à porter. Subir n'est ni un but ni une fatalité !

Moi, j'ai voulu apprendre de l'intérieur ce que signifie l'avortement. J'ai pensé que c'était mon rôle de médecin... J'aurais été trisomique si j'étais allé jusqu'au bout de mon incarnation, il y a... quelques années. Je savais fort bien que l'on refuserait ma venue mais ce que j'ignorais, c'est le *vrai* pourquoi du respect à développer envers le fœtus auquel on ôte la vie.

Lorsque l'avortement eût fini d'être pratiqué sur la femme qui devait me servir de mère, je "me" suis vu, petit paquet de chair sanguignolante dans un récipient de métal. Pour ceux qui étaient présents dans la salle de l'intervention, ce n'était rien, rien d'autre que quelque chose d'informe qui n'avait jamais eu d'âme.

Mais mon âme, ma pleine conscience, je vous le dis, était bien présente dans la salle de l'intervention. Elle était là, comme un seul œil écarquillé et souffrant qui observait tout en se demandant pourquoi... Pourquoi non pas si peu d'amour, mais pourquoi *pas d'amour du tout* ! Ce n'est pas l'acte en lui-même qui m'a fait si mal, c'est plutôt la froideur de sa décision puis de son exécution. N'être rien de plus qu'une vésicule ou un fibrome à enlever, c'est cette constatation qui fait vraiment cesser de battre un cœur !

Mais malgré tout, vous voyez, mon opinion est que personne n'a de leçon à donner à personne ! Non, personne ! Je sais aussi d'expérience que celui qui s'apprête à habiter un petit corps mal formé peut comprendre et accepter beaucoup si on lui parle avec amour, c'est-à-dire si on lui accorde l'existence et la présence qui lui reviennent.

J'ai bien conscience de ne pas vous offrir une grande révélation en vous faisant part de cette réflexion. Cependant, il n'est pas toujours nécessaire que les choses soient grandes, tonitruantes, spectaculaires ni même complexes pour être importantes. Le besoin d'aimer et d'être aimé est certainement le principe le plus fondamentalement commun à toutes les formes de vie...

Il serait temps que l'on ne parle plus de l'âme comme d'un simple concept philosophique ou d'un argument religieux. Un semblable regard porté sur elle ne peut, de toute évidence, être que flou et se prêter à toutes les jongleries intellectuelles ou dogmatiques.

Il existe une biologie du subtil et cette biologie-là n'a rien de secondaire. Elle préexiste à l'autre ! S'il n'y avait pas d'âme, il n'y aurait pas de chair, comprenez-vous ? Et si elle n'avait pas de chair pour s'y mesurer, eh bien... l'âme ne grandirait pas ! Parlez de la complicité entre les mondes, parlez de leur complémentarité et de leurs continuelles interactions ! C'est si beau !

L'homme au regard clair a véritablement transformé l'atmosphère de notre terrasse. Maintenant qu'il s'est tu, toutes les présences se résument à des sourires approbateurs. Le ciel de nos pensées communes se dégage de sa morosité et il me semble que les roses s'épanouissent à nouveau dans leurs jeux d'embrassades parmi les colonnes des jardins.

À ma gauche, je remarque une Florence bouillonnante. Elle veut parler, elle veut aller plus loin et j'ai la sensation que le timbre de sa voix résonne déjà en moi alors qu'elle n'a toujours rien exprimé. Aura-t-elle seulement besoin de remuer les lèvres, d'ailleurs, pour livrer le fond de son cœur ? Je vois bien que non car j'expérimente une sorte de fusion instantanée avec sa pensée…

- Oh, écoutez, écoutez… Il y a des mots et une foule d'idées sur lesquels nous ne pouvons pas glisser comme cela ! Moi, je ne veux pas tourner la page aussi vite… Dans l'envolée de tout ce que j'ai recueilli, j'ai saisi des allusions au poids des dogmes religieux et je voudrais vous dire que, là aussi, nous mélangeons tout. Laissez-moi vous demander ceci :

Qu'est-ce qui fait qu'une fois incarnés nous voulons ou non des enfants ? Qu'est-ce qui fait que nous nous orientons et que nous cherchons à orienter notre descendance dans telle ou telle direction ?

Est-ce le fond de notre cœur ou les couches successives des croyances acceptées puis subies ? Nos projets et nos comportements pour les mener à bien sont-ils les nôtres ou ne faisons-nous que prolonger ceux de la collectivité dans laquelle nous sommes nés ?

Il n'y a aucune spéculation philosophique à la base de ce questionnement mais plutôt une soif de vraie vérité, rien qu'une réaction face à la glu des conditionnements religieux et autres. Dès que l'on se tient dans le courant ouvert de la Vie, on comprend aussitôt que celui-ci ne se faufile pas parmi les dogmes ni les croyances mais tellement au-delà ! La Vie se moque des prétextes de la religiosité parce qu'elle est l'Esprit et que l'Esprit ne prend la couleur de personne.

Alors, voyez-vous, que l'on ne dise plus accepter ou rejeter l'avortement au nom de telle ou telle religion et que l'on ne déclare plus jamais : « C'est interdit parce que c'est un péché... »

La Force à laquelle certains donnent le nom de Dieu n'est pas de la même culture ni de la même race pour tous ! Comment peut-on donc Lui prêter des paroles et des règlements au gré de nos morales fluctuantes ? Ce que j'appelle Dieu, moi, c'est d'abord le bon sens qui vit dans le plus beau de notre cœur et que, de temps en temps, nous parvenons à ne pas étouffer à force de courage.

Ainsi, je ne demanderai qu'une chose lorsque l'heure viendra pour moi de reprendre un corps de chair. Que mes parents acceptent ou refusent ma venue, ma première attente sera qu'ils le décident en pleine conscience, en toute responsabilité, avec respect et avec tout l'amour dont ils seront capables... et non pas parce qu'ils auront obéi à "quelque chose" qui ne leur appartient pas et qui s'appelle dogme ou loi. Je prierai la Vie pour qu'ils me parlent et que, quelle que soit leur décision, ils déversent leur cœur dans le mien.

Adossée à sa colonne de pierre, la petite Suzie attire à nouveau mon attention. Les dernières déclarations de Florence ont particulièrement animé son visage et son regard s'est enflammé au rythme des propos entendus. Bientôt, le timbre de sa voix couvre à nouveau les réflexions éparpillées de l'assemblée.

- Savez-vous ce que j'aimerais vous dire ? J'aimerais vous raconter un vieux souvenir... Un de ces souvenirs puissants qui logent encore en nous comme les traces d'un ancien livre dont l'histoire nous colle à la peau.

Ce n'est pas vraiment le récit d'une vie dont je me souviens en détails, non... mais plutôt celui d'une expérience terrible dans laquelle j'ai plongé entre deux existences sur Terre. Voilà comment tout à commencé...

Il y a quelques siècles, j'ai été membre d'une Église très rigoriste et très fermée. Ma vie de femme, avec le moindre de ses comportements et de ses rapports sociaux, était codifiée. Mon corps et ma conscience étaient en quelque sorte sur des rails. Au nom du dieu auquel nous croyions, il y avait ce qui se faisait et ce qui ne se faisait pas. Nous observions un credo, une foi et, en dehors de cela, rien n'existait qui ait la plus petite chance d'être vrai ou lumineux. Vous souriez... mais ces choses-là sont très insidieuses.

Le propre d'un conditionnement est précisément de se mettre en place de façon progressive donc insensible... Alors que dire de celui que l'on reçoit d'une manière congénitale ?

En ce qui me concerne, le choix d'une voie rigoriste m'avait été présenté par mes guides comme étant la solution évidente pour recentrer une personnalité trop éparpillée et dissolue. Un mal pour un bien ultérieur, en quelque sorte.

Ma vie se passa donc ainsi qu'il se devait, avec un regard étriqué et constamment dans le jugement de ce qui se trouvait hors de notre ligne de pensée. Cependant, j'ai poussé très loin mon aveuglement en participant de nombreuses fois au bannissement de notre société de quelques femmes ayant avorté ou accouché hors mariage. Pour moi, il n'y avait là qu'une logique sans appel puisque

Dieu Lui-même nous avait pourvus d'un regard vrai et indiscutable sur l'ordre des choses.

Évidemment, vint enfin le jour où il me fallut passer de l'autre côté du rideau de la vie. Et c'est là où mes fantômes finirent par me rattraper. Oh, vous le savez bien... Ce n'est pas parce que l'on meurt que l'on y voit soudainement clair. On voyage, au contraire, un bon moment avec nos œillères. Jusque là, d'une certaine façon, tout continue d'aller bien puisque notre décor est plus que jamais à l'image de nos limitations.

Mais il y a toujours une heure pour se réveiller et celle-ci s'est présentée pour moi sous la forme d'une rencontre avec la souffrance que j'avais semée par mes terribles jugements. Il a fallu que je plonge dans l'océan de douleur des femmes que j'avais maudites puis, dans celui des fœtus ou des bébés que j'avais voués aux flammes de l'enfer.

Je vous le dis... J'ai vécu leurs peurs, leurs solitudes et leurs détresses les unes après les autres, de l'intérieur. J'ai connu la prison mentale que j'avais contribué à leur imposer. Ce fut mon enfer à moi, ainsi que vous pouvez l'imaginer.

On finit toujours par souffrir de la souffrance dont on a labouré le cœur d'autrui. Il m'a fallu cela pour comprendre enfin le sens du mot compassion. Il m'a fallu cela aussi pour admettre le fait qu'il n'y avait pas "quelque part" un dieu qui m'appartenait et qui distribuait des bons ou des mauvais points. S'il y a un Dieu - ce que je crois - je sais maintenant qu'Il nous a fait le plus puissant cadeau qui soit : celui de construire nous-mêmes notre enfer ou notre paradis.

Alors, le jugement, non... Plus jamais, voyez-vous. Et pour mieux ancrer en moi cette grande révélation captée in extremis entre deux existences terrestres, il m'a été laissé la possibilité de me réincarner rapidement. J'ai œuvré comme subalterne au sein d'une Mission dans un pays d'Afrique. Sans parvenir encore à comprendre la beauté des différences, j'ai ouvert mes bras en participant à l'adoption de nombreux enfants. Au-delà de ce dont je m'apercevais, j'ai surtout appris à bénir la Vie, quel que soit le chemin qu'elle empruntait et sans savoir exactement d'où elle venait. C'était la Vie et je n'avais pas nécessairement à la parer des couleurs qui me convenaient le plus.

Voilà... Vous me direz peut-être maintenant que vous m'aviez invitée ici pour témoigner de mon avortement, et non pas d'un autre sujet. C'est vrai... Mais je vous ai parlé de la vie que l'on rétrécit sous des œillères, de celle que l'on méprise puis que l'on étouffe sous les jugements et les condamnations. C'est un peu la même chose, non?

# Chapitre V

## Les catacombes de l'âme

C ette fois, c'est Florence qui est venue me chercher très directement. J'étais à peine entré dans cet état de conscience qui permet de voyager de l'autre côté de notre réalité qu'elle s'est aussitôt présentée à moi. Toujours vêtue de sa grande robe bleue... mais avec les cheveux beaucoup plus courts, comme pour témoigner d'un changement qui se serait opéré en elle.

Il y a maintenant presque trois mois que nous nous connaissons... Je ne la sens plus vraiment souffrante, cependant je remarque malgré tout un fond de gravité dans son regard.

Aujourd'hui, elle arrive là, face à moi, dans une douce lumière irisée et il me semble qu'elle retient des mots difficiles à prononcer.

Mais ainsi que je l'ai mille fois expérimenté, ainsi que nous l'expérimentons tous dès que nous ouvrons les yeux au-delà des frontières de la chair, l'âme n'a pas besoin de mots sonores pour se faire comprendre. Elle en sait d'autres qui se déplacent plus vite, de cœur à cœur. Ce sont ceux-là que je capte derrière les lèvres immobiles de la jeune femme…

- Vous savez… Il y a une chose que nous avons passée sous silence. C'est une chose bien lourde et bien douloureuse… Il fallait que je sois un peu plus stable avant de vous emmener dans sa direction. Il fallait aussi que l'on m'y pousse.

- Tes guides?

- Mes guides et mon père, oui, mon "âme-racine". Ce sont eux qui ont entrebâillé la porte du monde dans lequel il faudrait que nous pénétrions l'un et l'autre.

- Est-ce si difficile?

- C'est délicat… Il faut y aller à la fois tout en tendresse et en force. En principe, ce n'est pas moi qui devrais vous emmener "là-bas" mais plutôt et plus justement ceux qui éclairent mes pas.

- Ne viens-tu pourtant pas de me dire qu'ils t'y ont incitée?

- Oui, c'est vrai. C'est parce que j'apprends. Je voudrais devenir comme eux, pouvoir conseiller et aider, voyez-vous. J'ai beaucoup réfléchi depuis que je me suis rétablie et que, par votre présence, vous m'avez obligée à aller au fond de moi. J'ai compris une chose essentielle, quelque chose de très enfoui et qui correspond à une des directions majeures de mon être. En fait, je me suis aperçue que mon avortement et les conditions dans lesquelles j'ai vécu celui-ci correspondent - au-delà de toutes les considérations karmiques - à une véritable mise en scène de ce que je pourrais appeler ma *supra-conscience*.

Depuis longtemps, je souhaite aider les âmes à accoucher d'elles-mêmes, vous comprenez… Devenir une sorte de sage-femme du subtil, là où les vrais jeux se jouent. Et comme nul ne peut parler de ce qu'il ne connaît pas... il était parfaitement juste et logique que je vive dans la plus grande conscience l'épreuve au sein de laquelle vous m'avez rejointe. C'était la condition afin de pouvoir moi-même tendre la main à d'autres.

C'est drôle... Quand on se trouve dans un corps de chair, avec toutes les contingences matérielles que cela sous-entend, on s'imagine toujours que l'existence de ceux qui sont "là-haut" a quelque chose de passif, voire de béat et qu'elle ressemble à d'éternelles vacances. Mais c'est absolument faux ! En tout cas, c'est faux dès que l'on se réveille de notre fatigue et que notre petite flamme intérieure prend vraiment conscience de qui elle est et qu'elle s'anime.

Moi, je veux aider... Je crois que je ne l'ai pas assez fait sur Terre. Il ne suffit pas de ne pas être mauvais pour réussir une vie. Il faut être bon... puis développer une véritable force dans cette bonté. Et ça... ça s'apprend ! Alors, voilà pourquoi tous ceux qui m'aiment m'aident dans l'apprentissage de l'art d'aider.

Mais... Mais je ne vous ai toujours pas dit quel est ce "lieu" où l'on souhaite que je vous accompagne. Nous allons essayer d'entrer... chez ceux qui auraient dû ou pu naître d'un viol, chez ceux dont les possibles mères étaient dans la détresse morale. Pourquoi en sont-ils arrivés là ? Comment ? Cela aussi était-il prévu sur leur chemin ? On m'a dit qu'il était impossible de contourner de telles questions. Pour bien comprendre la vie et ne plus avoir la sensation de la subir, il faut avoir le courage de la visiter dans toutes ses directions, ne croyez-vous pas ?

Une fois de plus, Florence va donc devenir mon fil conducteur. Je sais ce qu'il me reste à faire... Me laisser gagner par la clarté irisée dans laquelle elle m'apparaît puis accepter de m'en imbiber, sans la moindre résistance. Plonger ainsi dans un autre état de l'âme, me fondre au sein de sa sensibilité, me syntoniser enfin avec un univers différent encore. Un nouvel exercice de lâcher-prise, en quelque sorte. Je souris de l'intérieur et, très vite, un tourbillon m'emporte, aussi soudain, aussi violent et vertigineux que doux et bref...

- Êtes-vous toujours là?

La voix de Florence m'a rattrapé en plein cœur de la bourrasque. Elle est si sonore qu'elle me donne presque la sensation de me réveiller alors que, pas un seul instant, la conscience ne m'a manqué. Voilà... Nous avons changé de "chaîne", changé de "canal de vie" et donc, d'"émission".

Ici, là où j'ai suivi Florence, il fait gris... Je ne sais comment décrire un tel espace. Il n'y a pas à proprement parler de décor et on y respire mal. En réalité, le monde où je viens de poser l'âme n'est qu'un brouillard. Impossible de savoir si j'y marche ou si c'est lui qui se déplace à travers moi. Un brouillard... ou peut-être une gigantesque toile d'araignée, très serrée et péniblement poisseuse. Oui, c'est l'idée d'une poix qui s'impose à mon esprit. Tout est à ce point dense et déconcertant que je ne perçois même plus mon corps de lumière ni celui de Florence.

La jeune femme n'est guère davantage qu'un frôlement à mes côtés, une voix venant me rejoindre du dedans et s'intercalant entre mes pensées pour y répondre. Florence aussi est entrée en pays inconnu et je ne doute pas un instant que, tout comme moi, elle ne soit prise d'une légère nausée.

Devant nous puis autour de nous et comme suggérées par la structure même du brouillard, apparaissent maintenant des sortes d'alvéoles. Ou plutôt, non... Ce sont des cocons apparemment tous différents les uns des autres... Il me semble d'ailleurs que ce ne sont même pas vraiment des cocons mais plutôt des êtres, des formes humaines plus ou moins recroquevillées sur elles-mêmes, plus ou moins dessinées. Toutes sont prises à divers degrés dans ce que j'appellerais une ouate gluante. Elles dorment, dirait-on. Certaines s'agitent un peu et me font songer à des chrysalides en souffrance de leur propre enfantement.

Peut-on parler de silence ici, dans ce monde perdu au milieu du néant et où, apparemment, rien ne se dit ? Même pas, je le crains car tout est gorgé de ces pensées lourdes et contenues qui ne trouvent jamais de mots pour éclater. On y soupire un peu. On ose à peine y geindre. On n'y attend rien ni personne, c'est évident.

Certaines des présences que j'entrevois ainsi ne sont autres que celles de petits fœtus, d'autres évoquent davantage des silhouettes d'enfants tandis que d'autres encore, plus nombreuses, sont celles d'adultes presque enroulés sur eux-mêmes.

- Ils se pensent de cette façon... murmure Florence au fond de moi. Leur âme est en apnée continuelle. Elle est bloquée, figée entre deux strates de la vie. Ce sont... des amputés de l'espoir, voyez-vous. Par manque d'amour, tout s'est engourdi en eux.

Il n'est pas nécessaire que la jeune femme en dise plus. Je ne peux m'empêcher de songer à cette goutte d'eau que j'ai observée, un jour, emprisonnée depuis des éternités au milieu d'une géode. Je devine tout. Je comprends le terrible scénario dans lequel se sont laissé enfermer ces âmes mêlées à trop de violence. Expulsées d'un ventre abusé, haïes, ignorées ou niées depuis leur premier battement de cœur, elles ont fini par se rejeter elles-mêmes.

Souffrent-elles ? Il est difficile de le dire. Encore une fois, toutes ont leur histoire qui leur est propre. Celle-ci est leur secret, un secret qui leur imprime à chacune un rythme et qui les fait vivre à un niveau différent de la conscience humaine.

Au-delà de l'ignominie qui les a contraint de plonger dans une matrice de chair pour quelques semaines ou quelques mois, elles n'ont qu'une chose en commun, un point qui les fait se ressembler et se réfugier dans la même absence de respiration : elles sont vides d'amour. Elles ne savent plus appeler celui-ci parce qu'elles en ont oublié le nom.

Ici, le temps ne s'écoule pas, j'en ai la claire perception. Il ne signifie rien parce qu'il n'existe aucune dynamique. Toute forme est lovée sur elle-même.

- Ces êtres auraient-ils dû vivre ? me demande Florence. Leur mère aurait-elle dû les accueillir envers et contre tout ? J'avais des opinions, presque même une théorie... Mais quand je vois cela, je ne sais plus. Je ne cesse de m'étonner en constatant à quel point une conscience parvient à sécréter une sorte de glu qui la paralyse.

- Je crois pourtant qu'il n'y a pas que sa propre glu pour induire une telle paralysie. Il y a celle de l'être ou des êtres qui ne lui ont pas accordé la moindre possible réalité. Le dégoût, la peur, la haine, tout cela, vois-tu, projette une véritable matière poisseuse dans les mondes subtils. C'est au milieu de cet espace-là que tu m'as également emmené. Les univers s'engendrent les uns les autres. Ils vivent, bien sûr, de leurs auteurs... mais ils sont tout autant entretenus par ce qui y est déversé.

Crée du dégoût et de la rage et tu engendres aussitôt une ligne vibratoire de dégoût et de rage qui ira s'ajouter à d'autres lignes du même type. Un monde naît toujours d'une forme-pensée collective, en d'autres termes, d'un égrégore. Il est le fruit d'une complicité inconsciente, dans la lumière comme dans l'ombre.

Florence ne me répond pas. Je sens qu'elle mûrit et qu'elle se souvient de cet espace intérieur dans lequel, il y a peu de temps encore, elle tournait sur elle-même.

- Il faut continuer d'avancer, finit-elle malgré tout par chuchoter. On ne nous a pas incités à pénétrer en ce lieu pour le seul spectacle d'une détresse. Il y a autre chose...

Encore une fois, je ne sais pas si ce sont nos âmes qui se déplacent ou si c'est un train d'ondes qui vient vers elles. En vérité, j'ai plutôt la sensation de commencer à pouvoir apercevoir *autre chose* entre les gouttelettes du brouillard dans lequel nous baignons.

C'est exactement cela... Deux réalités se chevauchent et s'interpénètrent dans un espace unique. Elles s'épousent comme les atomes d'un peu de sucre et d'eau réunis dans un même verre. Bientôt, il n'y aura plus que de la lumière et, si cette dernière continue de s'ouvrir ainsi, elle sera couleur de lune, couleur de soleil et aura la fraîcheur du cristal...

Deux êtres sont maintenant assis devant moi. Un homme et une femme. J'ignore totalement s'ils sont nus ou vêtus de blanc car je ne parviens à fixer rien d'autre que leur visage. Je devine que, sous eux, le sol est immaculé, mais rien de plus… Pas de décor, une sorte d'horizon qui contiendrait tous les horizons, à l'infini.

Florence se tient là aussi, à ma droite. Je ne la vois pas davantage que l'instant auparavant mais je la ressens très distinctement. Il y a une espèce de souffle qui lui est propre et qui ne me lâche pas.

De toute évidence, nous étions attendus et même espérés. Les regards vont à la rencontre les uns des autres, ils s'embrassent presque… affirmant ou confirmant une complicité. Et voilà que, sans un seul mot échangé, nous nous retrouvons tous assis, à même la blancheur du sol, formant ainsi un petit cercle de quiétude. C'est un bain de lumière. Comment aurais-je pu espérer ni même imaginer une telle douceur, il y a seulement un instant ? Comment deux réalités si divergentes peuvent-elles à ce point se frôler ?

Sans attendre davantage, la présence au visage d'homme va au-devant des questions que je me pose.

- La Vie a besoin d'une volonté pour maintenir son flambeau… Il y a tant de tristesse et de poids dans certains sommeils ! Vous vous demandiez comment toutes ces âmes rejetées pouvaient espérer un jour émerger de leur lourde et cruelle léthargie, n'est-ce pas ? Eh bien, c'est notre tâche que de résoudre cette… question. Nous sommes justement des volontés et c'est à ce titre que nous avons demandé à nous enraciner ici, pour un temps…

Le mot volonté vous étonne, peut-être ? Vous vous attendiez sans doute à ce que nous affirmions d'abord être des présences d'amour… Mais l'amour dont la Vie a besoin ici demeurerait informe sans une immense volonté.

Oui, bien sûr, nous avons choisi de vivre en ce monde pour lui distiller l'amour dont il est si terriblement privé, comment nier cela ? Cependant, notre force, notre puissance de réveil résident dans notre permanence, dans notre infatigable souffle. Volonté et patience... Si notre amour était privé de ces deux ailes, il se résumerait à un joli souhait sans substance, une sorte de moule vide de toute matière.

Aimer, oui... Oh ! Bien sûr ! Mais aimer vraiment et fort et longtemps ! Il n'y a pas de stimulation possible, pas d'espoir, ni de réveil sans cette ampleur dans l'acte d'aimer.

Nous avons fait le vœu d'être là pour incarner la Vie. Pas comme des petites flammes qui maintiendraient un souvenir au fond d'une grotte, non, certainement pas ! Bien plutôt comme des brasiers qui vont crépiter et crépiter encore jusqu'à ce que l'on devienne attentif au chant de leurs flammes et que l'on s'ouvre à ce que celui-ci raconte...

- Qui êtes-vous ? intervient Florence. Dites-moi d'abord qui vous êtes... Je voudrais tout comprendre.

- Qui nous sommes ? Simplement deux êtres humains, deux âmes, comme vous. Plutôt que de revenir dans un corps de chair, nous avons choisi de demeurer ici, dans ce monde de prostration, afin d'y faire naître des sursauts de vie. Il n'y a guère de grand secret dans tout ceci, voyez-vous ! Nous en sommes arrivés à un point de notre propre chemin où la notion de Service s'impose d'elle-même. Cette sphère d'existence nous a appelés en profondeur parce que nous nous sentions prêts à accepter son exigence.

- Mais que faites-vous ? Vous méditez ? Vous priez au milieu de toutes ces âmes rejetées par trop de violence et de haine ?

- Tout dépend de la réalité que tu places derrière ces mots. Si, pour toi, prier et méditer sont des actes au sens plein du terme, alors oui, nous sommes prière et méditation.

Comprends-moi... Je veux dire que ces orientations de notre être projettent littéralement, et en tous sens, des forces semblables à des mains qui offrent, à tour de rôle, caresses et secousses. Le cœur et le mental qui s'unissent étroitement finissent par tisser des doigts de lumière au moyen desquels ils agissent. Le savais-tu autrement qu'en idée ? Le cœur, c'est pour le souffle d'aimer ; le mental, c'est pour la volonté et la clarté de la direction à maintenir.

Et puis... Nous parlons ! Oui, nous parlons à chacun de ces êtres dont vous avez tous deux traversé ce que nous appelons "les nids de brume et de détresse". Nous les interpelons par leur nom premier, cette vibration intime qui est le "code génétique" de leur âme depuis la Nuit des Temps. C'est ce code-là, par la précision de sa mélodie, qui peut parvenir à stimuler une conscience jusqu'à la sortir enfin de sa léthargie.

- Mais c'est alors qu'explose la souffrance, n'est-ce pas ?

- C'est là, oui, lorsque la mémoire du viol, celle du refus d'amour et celle de l'avortement remontent à la surface. Voilà pourquoi, plus que jamais, nous continuons d'offrir nos mains de soleil, nos paroles ainsi que le flot sans nom de la Vie.

Nous sommes des consolateurs, vois-tu. De vrais consolateurs ! Pas des hypnotiseurs qui recouvrent l'esprit d'un autre voile afin de l'apaiser en l'endormant à nouveau. Le vrai consolateur est celui qui démasque la douleur, celui qui permet de la regarder en face, puis qui révèle chez l'autre suffisamment de force pour lui faciliter une prise d'altitude au-dessus de son labyrinthe.

Ainsi, jamais nous ne nous apitoyons sur ces âmes douloureuses qui dorment ou feignent de dormir, recroquevillées sur elles-mêmes. Nous ne les plaignons pas... Jamais nous n'entrons dans le gouffre de leur blessure. Notre compassion est vigilance et discernement.

- Mais... Pourquoi avez-vous dit : « qui feignent de dormir » ? ne puis-je m'empêcher de demander à mon tour. Y a-t-il du mensonge dans leur souffrance et à ce niveau-ci de la vie ?

C'est la présence féminine qui me répond. Ses yeux se font minuscules et ne sont que sourire. Ce sont des yeux qui disent avoir fait le tour de l'univers et qui en préservent, en amont d'eux, la tranquille beauté. Je crois que ce sont eux qui me délivrent le message.

- Je n'ai pas parlé de mensonge. La feinte, vois-tu, ne signifie pas nécessairement le mensonge. Elle peut cacher ou avouer une peur. Non, si certains feignent ici de s'être noyés dans un océan de léthargie, ce n'est certes pas par désir de mentir à la Vie, mais pour s'en protéger. Leur torpeur simulée traduit un ultime appel au secours afin qu'un vrai sommeil les engloutisse. Elle est aussi un très subtil appel à nous, dont ils sentent la présence. Elle est leur façon de crier parce qu'ils ne trouvent plus les mots pour dire leur colère et leur désarroi.

Cependant, ce n'est pas la pitié que ces êtres veulent parfois susciter en nous qui nous pousse vers eux. La pitié n'est jamais ascensionnelle. Elle ne peut s'avérer que fossoyeuse. Elle rétrécit celui qui la reçoit et étouffe subtilement celui qui l'offre. *La pitié, comprenez-le bien, est le simulacre de la compassion.* Il n'existe pas un seul monde dans lequel une action de lumière soit entreprise avec elle. La pitié peut déposer un pansement... mais ne génère pas de guérison.

Ici, mes amis, notre tâche est d'aller au fond des choses. Face à une immense douleur, il faut une immense clairvoyance. Au travers de ce que vous appelez méditation ou prière, mais qui est surtout écoute puis rayonnement bavard, nous feuilletons la mémoire des êtres englués dans leur souffrance. Nous tentons de dénouer l'écheveau des circonstances qui les ont menés à ce point-ci de leur histoire.

Voyez-vous, avant de réapprendre à une âme l'acte de respirer, il faut vider ses poumons des eaux de sa colère, de son désespoir et de ses incompréhensions.

Les vraies questions sont celles-ci : qu'est-ce qui a amené cet être enroulé sur lui-même et qui dort, qui feint de dormir, qui gesticule ou encore qui se dessèche, à descendre dans un fœtus consécutivement à un viol ? De quoi se punit-il ? Quel est le mystère qui se cache derrière un aussi absurde piège ?

La question est délicate, voyez-vous, car elle concerne l'histoire profonde, disons même l'essence, de trois êtres. Celle de l'agressée, celle de l'agresseur et, enfin, celle de celui qui avait une forme de rendez-vous avec eux, prisonnier d'un embryon.

Comprenez avant tout que notre propos n'est pas d'aborder avec vous les motifs et les irraisons qui poussent un être à abuser d'un autre être au plus intime de sa chair et de son âme : il existe des millions et des millions de circonstances qui renvoient à une multitude de bagages karmiques. Il est une infinité de réponses aux motifs qui

108

font qu'une femme plutôt qu'une autre connaîtra la mons-truosité d'un viol et, éventuellement, l'avortement qui en résultera.

Notre souhait est plutôt d'éclairer le cœur de l'être qui se trouve pris dans l'étau d'un intolérable acte de chair. Sa position et sa souffrance, souvent proches de l'écartèlement, sont-elles le fruit d'un hasard ? Certaine-ment pas. Vous savez bien que le coup de dé du hasard n'est rien d'autre que l'argument de l'ignorance. Toute histoire de vie est étroitement imbriquée dans un réseau de milliards et de milliards d'autres histoires de vie.

Ainsi, l'agencement des destins correspond-il à une mathématique qui dépasse infiniment la plus affinée des compréhensions humaines. Il s'opère dans une zone de la Conscience Divine au sein de laquelle nos concepts classi-ques de justice et d'injustice ne signifient rien.

Toute cause produit un effet qui, lui-même, devient la cause d'un autre effet... et ceci, à l'infini. Voilà pourquoi nous ne jugeons rien ni personne... Notre tâche est d'ac-cueillir, d'éveiller, d'éclairer, de consoler, puis de redy-namiser.

Tous autant que nous sommes, voyez-vous, nous avons été durant un ou plusieurs jours de notre propre histoire, violeurs et violés... ou même fœtus rejetés. À chaque fois, au-delà des entailles et des lacérations que ces épreuves ont laissées sur nos corps et nos âmes, nous nous sommes relevés parce que la Force fondamentale de l'Univers ne peut pas faire autrement que de nous habiter. Ici, en ce lieu de conscience, nous en sommes arrivés à un point de notre floraison où, plus clairement que ja-mais, nous réalisons qu'il nous appartient de participer à l'action de cette Force et non pas de l'observer.

Ici également, nous émettons le vœu que tous ceux de la Terre qui sont présentement dans un corps de chair et qui découvriront nos paroles orientent profondément leur être vers une culture de la vie et non plus vers des semailles de mort. Il n'y a pas qu'avec une arme, une substance chimique ou un petit instrument chirurgical que l'on tue, savez-vous. On détruit d'abord par une privation d'amour.

Toutes les âmes auprès desquelles nous avons choisi de séjourner ne sont pas prisonnières d'autre chose que d'un vide total du cœur. C'est la façon dont elles ont été appelées à descendre dans un ventre puis le dégoût avec lequel elles en ont été chassées qui a fait d'elles ces sortes de parias.

- ... Mais aurait-il donc fallu que leur mère les accepte? ne peut s'empêcher de demander abruptement Florence.

- Crois-tu que l'on puisse répondre par un oui ou par un non à une telle question? Il n'appartient à personne de dicter à une femme ce qu'elle doit faire ou ne pas faire dans un pareil cas ! C'est elle-même, dans le plus intime de sa conscience, qui doit se poser la seule question qui prévale : « Serai-je capable d'aimer cet être qui a commencé à venir en moi d'une si terrible façon ? »

Si la réponse est non, c'est-à-dire dans l'immense majorité des cas, nous, ici, dans ce monde que l'on dit invisible, nous le comprenons parfaitement car nul ne doit surestimer ses forces.

Ce que nous déplorons, par contre, avec le regard qui est nôtre, c'est que l'on prive de leur âme ceux que l'on expulse dans de telles circonstances. Car, n'en doutez pas, c'est bien priver un être de son âme et de son propre respect envers lui-même que de lui dire non avec des pulsions de colère, de dégoût, voire de haine.

Celui qui se voit attaché à un embryon après un viol demeure un être humain à part entière et ne devrait en aucun cas être relégué au rang des "choses" dont on se débarrasse avec répulsion.

Qu'une femme lui dise : « Non, je n'ai pas la force de te recevoir » demeure son droit absolu, mais qu'elle le rejette avec mépris comme quelque chose de nauséabond, voilà où commence l'erreur... et où est semée la mort.

Encore une fois, mes amis, *le respect de tout ce qui est* représente le devoir de chacun envers la Vie, une nécessité individuelle et collective, une responsabilité. Est-il si difficile d'admettre une telle réalité ? Est-il si impossible de murmurer au fond de soi : « J'ai été blessée et j'ai terriblement mal, mais toi que le Destin a voulu placer si cruellement dans mon ventre et que je n'ai pas la force d'accueillir, je sais que tu es un être humain, je sais que tu as une âme et aussi un cœur. J'ignore, bien sûr, qui tu es et pourquoi c'est toi plutôt qu'un autre, mais sache que si je me sépare de toi, je ne t'accuse de rien et que je te respecte. »

L'amour débute là, voyez-vous, même s'il ne semble pas encore en porter le nom. Le respect est sa graine, la première lettre de son alphabet. C'est lui qui écarte les barreaux de toutes les prisons de l'univers, à commencer par les prisons intérieures, celles que l'on se dessine soi-même et celles dont on injecte l'image dans le cœur des autres. N'en doutez pas, c'est son absence totale qui a contribué à tisser les toiles d'araignées mentales et la glu psychique que vous avez traversées pour parvenir jusqu'à nous... et c'est pour l'induire à nouveau que nous sommes là. En consolant et en réveillant, nous restaurons une dignité oubliée...

Oui, une dignité oubliée ! Ces mots viennent, me semble-t-il, d'être lancés à la volée dans l'atmosphère ambiante avec une puissance toute particulière. À eux seuls, ils résument un million de choses, aussi bien sur un versant de la vie que sur l'autre. Comme c'est simple et évident ! La dignité oubliée n'est autre que notre essence lumineuse reléguée au rang des mythes, foulée aux pieds puis niée.

C'est cet enseignement, peut-être et même certainement, que je suis d'abord venu recueillir ici en compagnie de Florence. La dignité représente bel et bien cette noblesse innée propre à toutes les formes de vie - quel que soit leur état de complétude ou de réalisation - et à laquelle nul ne devrait s'autoriser à toucher. La dignité est soudée à la racine du Vivant, au-delà des niveaux de floraison de celui-ci, derrière ses balbutiements et ses apprentissages si souvent en apparence aberrants. Comment s'en souvenir autrement qu'intellectuellement ? Vraisemblablement à travers l'épreuve, lorsque l'on se trouve soi-même au pied du mur et que l'on se révolte en jurant ne pas comprendre...

Autour de moi, de nous, j'ai maintenant la sensation que la lumière s'est faite plus dorée et qu'elle permet à mon regard de plonger une nouvelle fois dans le décor silencieux des âmes engluées. Oui, elles sont toujours là, ces catacombes de la négation de soi. Elles me font songer à ces limbes dont parlent les vieux textes et que nous avons placés au rang des superstitions.

À mon tour, j'ai envie d'interroger les deux présences semblables à des flambeaux.

- Dites-moi... Derrière les particularités de leurs histoires individuelles, y a-t-il un schéma global qui a pu piéger ces êtres à ce point ? Ont-ils accepté volontairement les risques d'une telle expérience d'incarnation brisée ? Y ont-ils été contraints ?

- Oh, tu t'en doutes, bien peu choisissent un tel parcours ! Certaines âmes, parmi les plus évoluées, savent qu'elles doivent parfois traverser une difficulté de cet ordre, quant aux autres... Les autres, eh bien, sauf exception rarissime, elles sont *aspirées dans le tourbillon vibratoire* d'un viol puis dans le ventre d'une femme en raison de ce que nous sommes bien obligés d'appeler leurs basses fréquences. Cette expression peut paraître un peu caricaturale, cependant elle traduit un réel état de fait que l'on ne peut sans doute exprimer beaucoup plus clairement.

Certaines âmes se sont polluées durant toute une phase de leur évolution, polluées par des pulsions, des obsessions de toutes natures, des images récurrentes de souvenirs douloureux souvent liés à la violence. Ici, nous disons qu'elles s'alourdissent et qu'elles se métallisent... Alors, presque comme du fer, elles se laissent aimanter par l'ambiance d'autres présences de fer, des présences pesantes et primaires. C'est ainsi, voyez-vous, qu'elles se font littéralement avaler par un contexte terrestre qui ressemble à ce qui les habite.

N'est-il pas logique que la beauté engendre la beauté et que la laideur ou la cruauté répondent à leurs semblables ?

C'est aussi pour rompre un tel cercle vicieux que nous venons ici. La compassion est définitivement la grande force de résurrection que nous tentons d'offrir. En ce sens, nous devenons donc également des dépollueurs psychiques. Par le fait de caresser les âmes, de les accueillir envers et contre tout, nous les nettoyons des cauchemars au milieu desquels elles se sont perdues jusqu'à renier leur identité profonde.

Ce qui a pu alourdir ces âmes ? C'est simple... Des guerres, des massacres auxquels elles ont participé ou auxquels elles ont consenti, des viols collectifs... et aussi l'assujettissement à des drogues. Bref, tout ce qui avilit et emprisonne doublement l'être, dans son mental et son cœur.

- Et dans ses cellules ?

- En effet, tu as raison... J'aurais pu parler d'une triple prison. Entre deux incarnations, chaque être conserve le bagage d'une mémoire cellulaire accumulée de vie en vie. Celle-ci se loge dans ce que l'on appelle traditionnellement l'*atome-germe*, au cœur du cœur de la conscience. Les pulsions incontrôlées et les réflexes viscéraux sont issus pour une immense part de cette mémoire qui induit une véritable programmation jusque dans la chair. Il s'agit, en fait, d'une sorte de charge énergétique que seul un immense amour peut, non pas combattre, mais dévitaliser et épuiser petit à petit, comme une batterie.

Mais laisse-moi revenir un instant sur ce qui parvient à attirer des âmes dans le contexte d'un viol ou de tout autre comportement bestial... Il ne faudrait pas s'imaginer que seuls des êtres à la mémoire "métallique" soient pris dans un tel contexte. Nombre de grandes âmes ou, plus simplement, de vieilles âmes, choisissent aussi délibérément une semblable expérience afin d'approcher au plus près l'ultime compassion. En acceptant un début d'incarnation au sein de l'ignominie, elles s'ouvrent encore le cœur.

Ainsi, vois-tu, des circonstances similaires peuvent-elles être vécues de façon totalement opposée selon le niveau de conscience de celui qui s'y trouve confronté. Selon celui qui l'éprouve, la souffrance génère deux types de conséquences diamétralement opposées : soit elle rétrécit et dessèche le cœur, soit elle dilate celui-ci en y faisant éclore les plus délicates fleurs de l'amour.

En ce qui concerne les belles âmes qui choisissent de passer par une épreuve de ce type, il est plus juste de parler de "traversée" plutôt que de séjour. En effet, rien en elles ne peut les amener à visiter un lieu comme celui dont nous avons la charge. Elles sont trop légères, elles se dégagent rapidement de l'aura de violence et de souffrance qu'elles ont accepté de connaître. Elles rejoignent donc leur monde, riches d'une nouvelle force.

C'est ainsi, vois-tu, que les actes humains les plus intolérables peuvent parfois servir de chemin de croissance aux plus radieuses présences. *Il n'y a jamais de demeure, de corps, ni de cœur assez obscurs et blessés pour qu'une tendre lumière ne cherche pas à les visiter...* Voilà une vérité à écrire en lettre d'or au fond de soi.

- Mais dites-moi, murmure Florence avec un début de sanglot dans la voix, dites-moi... Tous ces êtres en rejet d'eux-mêmes et que je vois maintenant autour de vous... sont-ils bloqués ici pour des éternités ?

- Des éternités ? N'oublie pas que le temps ne signifie rien ici... Il ne passe ni lentement ni rapidement. En vérité, c'est la conscience, par son niveau de développement, qui imprime en elle une sensation d'accélération ou de ralentissement. Ou elle s'expanse en son illusion ou elle s'y fige.

Mais pour te répondre plus concrètement, sache que nul ne demeure ici éternellement. Cet espace perdu au milieu des univers est un peu comme un hôpital pour grands blessés... Un hôpital, pourtant, où l'on ne meurt jamais parce qu'on y est aimé et parce que la mort y est impossible. On en sort toujours... au bout de quelques mois, de quelques années, de quelques siècles parfois de temps terrestre, avec le souvenir d'y avoir dormi et fait un mauvais rêve. C'est alors le moment de revenir sur Terre, plus allégé et débarrassé d'une bonne part de "métal".

Les deux êtres dont les voix se sont peu à peu superposées puis fondues l'une dans l'autre pour nous apporter leurs réponses ne sont plus maintenant qu'un immense sourire. Le sommeil lourd d'une multitude d'âmes blessées est certes toujours là, très compact, autour de nous, cependant je me sens comblé, nourri par la paix contagieuse de l'enseignement reçu.

Quant à Florence, je ne sais exactement ce qu'elle vit. Je la devine désormais en arrière de moi, toute pétrie d'une émotion qui l'intériorise.

- Florence ? ne puis-je m'empêcher d'appeler.

C'est un profond silence qui me répond et qui me suggère de me retourner dans la lumière ambiante.

Florence est bien là. Je la vois distinctement désormais, avec ses cheveux plus courts et la même longue robe bleue. Elle pleure doucement... ni de tristesse ni de joie, me semble-t-il. Ses larmes, j'en suis certain, s'écoulent une à une d'un trop-plein ou d'un... trop vécu de son âme.

- Il n'y a pas si longtemps, vous comprenez... parvient-elle enfin à dire. J'ai voulu faire la forte en vous accompagnant jusqu'ici mais j'ai sans doute présumé de moi...

- Ne m'avais-tu pas dit qu'on t'avait incitée à me guider ?

- Je vous ai un peu menti... C'est moi qui ai insisté pour être là... pour combattre mes derniers souvenirs de cœur meurtri avec la vision de blessures plus grandes encore. On m'a laissé faire... C'était ma façon à moi de me redresser plus vite.

Accepterez-vous de me suivre encore ? Vous savez, c'est devenu un peu ma mission...

# Chapitre VI

## Des raisons pour ne pas naître

Florence est repartie dans son monde en l'espace d'un sourire. Je l'ai laissée s'éloigner sans même savoir ni quand ni où nous nous reverrions.

J'ai fini par m'habituer à ces rendez-vous informels qui se sont placés entre nous. Ceux-ci sont devenus une sorte de rituel complice que je me suis mis à souhaiter puis à aimer.

Silencieuses, les semaines se sont donc étirées jusqu'à cette aube timide dont je sors à peine et qu'a empruntée celle qui se disait la "non-désirée" pour m'entr'ouvrir à nouveau la porte de son univers.

Il ne m'a fallu qu'un instant pour rejoindre Florence ; mon âme était prête et ma plume impatiente de témoigner.

Alors voilà, j'ai encore franchi la frontière des mondes tel un poisson qui percerait la surface de l'eau pour découvrir l'air libre...

- J'ai cru que vous ne viendriez plus...

- Mais pourquoi donc ?

- Parce que je me suis maintenant reconstruite, et parce que...

- Parce que tu m'as un peu menti, il y a quelques semaines ?

Florence me sourit, manifestement gênée.

- Je vous l'avais bien dit que l'on voyageait complètement avec soi-même lorsqu'on arrivait de l'autre côté, parmi ceux que l'on pense "morts". Vous en avez la preuve, une fois de plus. Rien à faire ! Notre personnalité nous suit... avec les trop-pleins et les "trop-vides" de notre cœur !

- Je sais bien, Florence... On ne devient pas omniscient ni tout-puissant simplement parce que l'on a franchi le rideau de la vie. On ne devient pas non plus un "ange" que nos proches peuvent prier par le seul fait d'avoir un peu déployé les ailes de notre conscience.

- Alors, vous ne serez donc pas surpris si le lieu où j'ai voulu vous emmener ressemble à quelque chose de bien terrestre...

- Est-ce un lieu de guérison ? dis-je intuitivement.

- Pas vraiment... Disons plutôt de... ressourcement et de réflexion.

Tandis que j'écoute Florence qui cherche ses mots, je réalise seulement l'absence de décor qui, une fois de plus, caractérise l'espace dans lequel nous venons de nous retrouver. Je le perçois tel un sas mental, une zone privilégiée pour tous les possibles.

- Écoutez, reprend Florence... Ces derniers temps, j'ai vraiment essayé de faire le tour de mon âme. C'est ce qui nous est demandé autant que possible dès que l'on revient d'un séjour, aussi bref soit-il, dans le monde de la

120

chair. J'ai relativisé ce que j'ai vécu et j'ai aussitôt senti la nécessité de porter mon regard au-delà de la seule douleur de l'avortement. Il n'y a pas que lui, en effet, qui pose mille questions autour d'une grossesse et qui traduit son lot de souffrances.

- Veux-tu parler des fausses-couches ?

- Entre autres… Car il y a aussi tous ces "incidents" ou "accidents" de parcours qui font qu'un fœtus ne vient pas à terme et creuse un gouffre de désarroi dans le cœur de ses parents.

Florence a précisément devancé mes questions. C'était là où j'avais l'intention d'en venir avec elle… Élargir la réflexion pour aborder avec un œil nouveau tous les mystères qui entourent l'élaboration de la vie dans un ventre maternel.

Ce qui vient maintenant de se produire est difficilement traduisible. Je n'ai imprimé aucun mouvement au corps de mon âme et pourtant tout s'est modifié autour de lui… De quoi me faire ressentir plus intensément que jamais que la multitude des univers dont se compose l'Univers se superposent et s'épousent en un seul point de l'énigme d'une Conscience déployée parvenant à en rassembler toutes les dimensions. Ou j'en accepte l'évidence ou je n'ai plus qu'à rejoindre mon corps allongé dans la pénombre, quelque part sur Terre[1].

---

[1] Cette réflexion n'est pas sans faire songer à la récente découverte de deux physiciens, Lisa Randall et Ramon Sundrum qui ont démontré l'existence d'une cinquième dimension "courbe" de taille infinie. Cette découverte ouvrirait, de plus, la porte à la possibilité de sept autres dimensions au-delà de la cinquième…

Voilà... Je prends une longue inspiration... et je découvre Florence qui marche à mes côtés. Nous nous trouvons dans une sorte de grand parc ou dans une immense serre. Je ne sais trop. Au-dessus de nos têtes, le ciel est limpide tandis qu'autour de nous la végétation se montre abondante. Nous ne sommes pas seuls à cheminer entre les bosquets. Il y a là des femmes, des hommes, des enfants. Certains semblent communiquer très intensément entre eux alors que d'autres se prélassent sur l'herbe ou encore sur des sièges.

Florence m'avait prévenu... Il n'y a rien que de très banal dans ce lieu qui évoque pour moi celui d'une classique promenade dominicale.

- Pourriez-vous nous suivre ? C'est là-bas que nous vous attendons...

Un jeune homme en habit gris clair est arrivé dans notre direction et a aussitôt pris Florence par le bras. En arrière de lui, près de ce qui ressemble à un massif d'hortensias, un adolescent et une femme sont assis sur l'herbe et nous regardent.

- Ce sont eux ? demande Florence.

- Ils ont hâte de communiquer avec vous...

Et comme pour m'expliquer ce que je ne lui demandais pas, le jeune homme se tourne ensuite vers moi et ajoute :

- Vous êtes... je dirais... au pays de ceux qui avaient mille raisons personnelles de ne plus vouloir retourner sur Terre.

Sur l'herbe, on nous sourit doucement et ce sourire est chargé d'une mélancolie qui me touche aussitôt.

- Est-ce vous qui allez vous faire notre interprète ?

Je fais signe que oui et je prononce quelques mots mais, en même temps que j'articule ceux-ci, je sais bien que ce ne sont pas eux qui apportent la vraie réponse. Un pont est déjà lancé entre nous. Il s'est suspendu de lui-même dans l'air, au premier regard échangé.

Je n'ai plus qu'à m'asseoir, moi aussi, tout comme Florence vient de le faire... M'asseoir et écouter. On veut que je témoigne et que je m'empresse de le faire.

C'est l'adolescent qui manifeste ostensiblement le plus d'impatience à se raconter. Son âme commence d'abord par balbutier quelques paroles malhabiles puis elle se libère et se met à couler à flots.

- Vous savez, il faut dire les choses... Après ce qui vient de se passer pour moi, j'ai compris qu'il ne faut rien emprisonner trop longtemps en soi. Une souffrance qui demeure bloquée derrière des digues finit toujours, tôt ou tard, par faire sauter celles-ci et elle devient alors aussi dévastatrice qu'un raz de marée. Je peux vous en parler... C'est difficile à avouer mais... c'est pour cela que je viens de m'ôter la vie.

- Tu parles vraiment d'un suicide ?

- Oh... Disons que sur Terre, ça n'en porte pas le nom. En réalité, j'ai tout fait pour que mon cœur cesse de battre. Il y avait juste sept semaines que ma conscience avait dû descendre pour la première fois dans le ventre d'une mère. À chaque fois que je pénétrais dans ce tout petit fœtus qui allait me servir de corps, l'angoisse m'étreignait. Comprenez-moi... tout le poids de ma vie passée était encore si présent dans ma mémoire ! Les odeurs de la Terre, celles de mes frustrations, de mes remords et de mes vieilles craintes, tout cela ressurgissait. Je voulais me débattre et remonter "chez moi".

Ainsi, à chacune de mes plongées dans la matière, j'avais l'impression d'être en apnée forcée.... et plus la mécanique de ce corps qui se construisait pour moi m'appelait, plus cette apnée me devenait insupportable.

- Ton bagage était-il si lourd pour que tu aies eu à ce point peur de revenir ?

- Je vois bien que non, maintenant. Ce n'était guère qu'une petite valise, pas plus grosse que celle de n'importe qui. Seulement voilà, je n'avais jamais voulu en partager le contenu avec qui que ce soit ; ma nature renfermée et peureuse bouclait toujours tout à double tour. Ce n'est pas la lourdeur d'une charge qui fait qu'on parvient ou non à l'accepter et à avancer avec elle, c'est le regard qu'on porte sur elle, c'est la couleur qu'on lui donne.

Je ne l'avais pas compris... Alors, c'est pour cette raison que j'ai décidé de dire non et qu'au bout de six semaines, j'ai voulu tout mettre en œuvre afin de ne plus être contraint de redescendre dans le ventre qui m'accueillait.

L'aimantation de la Terre était forte et cela a mobilisé toute ma volonté. Ce n'est pas si simple de ne pas naître, vous savez ! J'ai eu l'impression de nager à contre-courant pendant cinq ou six jours de temps terrestre jusqu'au moment où j'ai ressenti comme un claquement dans ma nuque. Là, j'ai su que j'étais libéré et que je n'allais pas entrer dans cette nouvelle histoire que la Vie s'apprêtait à mettre en scène pour moi.

Avant que cela n'arrive et pendant tout le temps où je m'interdisais de pénétrer dans mon fœtus, j'avais imaginé que je vivrais cela comme une victoire et un soulagement... Pourtant, je peux vous dire qu'à aucun moment cela n'a été le cas ! J'ai, au contraire, vécu une panique...

Je ne savais plus où aller. La vérité était que je venais de me rebeller contre les conseils de mes guides et que j'avais repoussé des parents.

Alors, j'ai sombré… Je me suis fait horreur, d'autant que j'ai continué à être aimanté par la matière et que j'ai reçu de plein fouet toute la peine que je venais d'infliger à ceux qui avaient décidé de me tendre les bras. J'avais rompu le contrat de tendresse !

Mais, voyez-vous, l'Intelligence de la Vie ne m'a rien épargné. Pour m'enseigner, elle est allée jusqu'à me donner la vision de cette minuscule chose sanglante s'échappant du corps de ma mère et qui aurait dû être moi.

Sans nul doute, c'est cette leçon-là qui m'a fait réaliser mon erreur. Elle a ouvert une grande brèche dans mon âme et elle l'a dilatée jusqu'à me propulser à nouveau auprès de mes guides. Ceux-ci ne m'ont rien reproché. Ils m'ont juste laissé un peu avec moi-même… ensuite, ils m'ont accompagné jusqu'ici pour que je cesse enfin de me blesser et …

L'adolescent ne finit pas sa phrase. Sa voix s'est nouée et son long visage sans ride se force maintenant à nous sourire comme pour nous assurer que tout est bien.

- Je crois que je serai bientôt prêt, reprend-il enfin. J'ai vu que les mêmes parents étaient toujours prêts à m'accueillir… Alors, j'ai déjà dit oui. Nous nous sommes parlé pendant leur sommeil. Nous nous connaissons depuis longtemps, vous savez !

En réalité, c'est surtout avec celui qui va devenir mon père que j'ai des liens. Nous avons été frères, autrefois, jusqu'à ce qu'une vague histoire d'héritage ne vienne jeter une ombre entre nous… C'est stupide, n'est-ce pas ? Si chacun pouvait au moins comprendre qu'on retrouve toujours notre "jardin" dans l'état où on l'a laissé ! Quand on plante des non-dits, on en cueille forcément un jour les fleurs. Toutes les fois qu'on recule devant un obstacle, on peut être certain que l'on prend déjà un autre rendez-vous avec lui. Vous voyez, c'est la même vérité des deux côtés du rideau de la vie !

Mais si je vous raconte tout cela, ce n'est pas seulement parce que j'ai enfin appris, en ce lieu, à me libérer de mes secrets. C'est d'abord parce que j'ai vu à quel point la jeune femme qui devait me servir de mère s'était culpabilisée après m'avoir perdu.

Comme beaucoup, elle a vécu pendant de nombreux mois avec la sensation - presque la certitude - qu'elle était la première responsable de sa fausse-couche. Il n'y avait rien de plus faux ! C'était moi qui ne voulais pas naître ! Je n'étais simplement pas prêt, c'est-à-dire pas mûr dans mon cœur... Il faut que des choses comme celles-ci se sachent... parce qu'en voyant ma mère pleurer puis s'accuser de tout, plus ou moins consciemment et pendant trop longtemps, je me suis rendu compte jusqu'à quel degré le sentiment de culpabilité jouait le rôle d'un poison pour l'être.

Vous savez, je crois que c'est cette constatation qui m'a poussé à revenir aussi vite vers elle. Oui, je me suis... culpabilisé à mon tour ! Si on n'y prend pas garde et qu'on ne réagit pas vite, on peut facilement entrer dans une ronde sans fin.

- C'est ce qu'on appelle tisser un karma, commente alors Florence.

- Tu as raison, mais je ne pensais même pas à cela... Le karma, c'est juste un mot pratique et tout fait pour parler de la logique profonde de notre univers et de son exactitude quant à ce que nous vivons.

- D'ailleurs, intervient maintenant l'homme en habit gris clair, il ne faudrait pas que vous pensiez que la notion de lien karmique est une évidence pour chacun, une fois le seuil de la mort franchi. Des multitudes d'âmes ne sont pas éveillées à sa cohérence. Souvent, elles s'enlisent dans un perpétuel "état de victime". C'est toujours la Vie qui se montre injuste envers elles... Le Divin les a abandonnées... et, s'il en est ainsi, « c'est parce qu'elles ne valent pas la peine d'être aimées, parce qu'elles ne sont ni belles ni bonnes. »

Il s'agit d'un piège pervers dans lequel beaucoup d'entre nous tombent à un moment donné de leur histoire. C'est un piège facile puisqu'il décharge chacun de sa responsabilité. Ici, nous œuvrons constamment afin de le mettre en évidence puis de désamorcer son mécanisme.

Vous comprenez, jusqu'à un temps récent de l'histoire de l'humanité terrestre, la majorité des fausses-couches ont été causées par la peur de naître, ce qui veut dire la crainte d'avoir à faire face aux circonstances semées antérieurement. Les responsabilités font fuir...

Nul ne peut, en définitive, forcer une âme à respirer la vie dans le ventre qui voudrait la faire naître. Si elle en a la force et la volonté, elle parvient toujours à faire marche arrière.

- Et l'amour que ses futurs parents lui portent déjà n'y change rien ? fais-je.

- C'est bien le seul élément qui puisse intervenir et la consoler face à ses peurs... S'il y a un secret pour tout adoucir, c'est celui-là, ne vous privez surtout pas de le dire !

Pourtant, là encore, un couple peut déployer des trésors d'écoute et d'amour et devoir, malgré tout, faire face à une fausse-couche. La liberté, surtout à un tel niveau, demeure un principe sacré qu'il importe de respecter comme tel. Il est donc important que les femmes et les hommes qui se trouvent confrontés avec une semblable déception se le disent et se le répètent. La coupe d'amour qu'ils s'apprêtaient à offrir à l'âme appelée à les rejoindre doit se déverser dans la direction d'une réelle acceptation. C'est la seule issue...

J'écoute et j'ai soin de bien graver en moi chacune des informations qui me sont offertes ici. Il en est surtout une qui retient particulièrement mon attention. Je ne peux croire qu'elle ait été donnée incidemment ou par erreur car ce qu'elle sous-entend m'intrigue.

- Ne viens-tu pas de dire que la peur de naître avait provoqué la majorité des fausses-couches, *jusqu'à un temps récent* ? Pourquoi cette réserve ou cette restriction concernant notre époque ?

Une légère moue se dessine sur le visage de la présence féminine assise sur l'herbe, juste à côté de l'adolescent. Se contentant de m'observer, elle n'avait encore rien exprimé. Je vois pourtant que la question posée à l'instant la fait réagir plus que les autres. Elle se redresse et le bleu de ses yeux vient puissamment me chercher au fond de moi-même.

- Cela vous étonne ? fait-elle. Je voudrais vous en parler, moi, de ce temps récent... J'ai éprouvé... disons, quelques difficultés à parvenir jusqu'à cet endroit de repos où vous me voyez en ce moment. Il y avait trop de colère en moi pour que j'en trouve l'accès dans mon propre cœur. Il m'a fallu déblayer, déblayer et déblayer en-

128

core des montagnes de reproches et de révolte pour que je sois capable d'être ici et de vous parler posément.

Le problème, si je puis m'exprimer ainsi, c'est que je voulais *vraiment* naître, vous comprenez. Je m'étais fait tout un plan de vie... Une sorte de schéma idéal avec les meilleures résolutions du monde. Un peu comme le font les enfants un jour de rentrée scolaire. On se dit qu'on va bien travailler, qu'on va devenir meilleur même si ce n'est pas facile... Et même si le vœu reste un vœu pieux, on y croit et cela nous aide à enfiler plus gaiement nos chaussures.

Je revenais donc dans cet état d'esprit et plutôt heureuse de rejoindre un couple dont la sensibilité allait s'accorder à la mienne. J'allais être bien... et dans un pays en paix. Un pays en paix, oui...

Mais la guerre à la vie, voyez-vous, peut se mener à plusieurs niveaux ! C'est de cela dont je veux vous parler...

L'homme au vêtement gris clair vient alors à poser doucement sa main sur l'épaule de la jeune femme dont l'assurance et le ton commencent à s'affirmer. Il lui suggère manifestement de s'apaiser. Quant à moi, je réalise à quel point ma question vient de toucher une réalité douloureuse.

- Mes guides se sont bien gardés de m'informer de tout, reprend-elle d'un ton plus doux. Quand je m'en suis aperçue, je leur en ai terriblement voulu. Maintenant, je me rends compte qu'ils avaient raison, cela aurait brisé mon élan et je n'aurais pas vécu ce qui est finalement devenu une occasion de croître... En fait, ils m'avaient tout de même un peu prévenue quant à l'existence de certains risques mais j'ai aussitôt relégué leurs paroles dans une arrière-salle de ma conscience. Cela ne faisait pas mon affaire et le possible danger qu'ils avaient vaguement évoqué me paraissait si minime…

Tout a commencé par se passer merveilleusement. Je descendais avec bonheur et aussi souvent que je le pouvais dans cet embryon qui allait grandir jusqu'à me servir de maison pendant toute une vie. Autant que je pouvais m'en rendre compte, mes parents se montraient conscients de ce qui se passait. Ils s'informaient, ils lisaient. Bref, ils étaient convaincus qu'ils ne vivaient plus simplement à deux mais qu'ils commençaient bel et bien à recevoir "quelqu'un".

À peine deux mois après qu'ils aient réalisé qu'ils m'attendaient, ma chambre était déjà prête, toute blanche, fraîchement repeinte et décorée avec une sensibilité qui me touchait. J'ai vu tout cela, je vous l'assure ! Je me suis promenée à deux reprises dans ce décor qui allait devenir le mien. Il était même arrivé que ma mère me surprenne. « Oh, une belle petite boule bleue, près de la porte ! » s'était-elle écriée. Et son enthousiasme avait aussitôt décuplé le mien…

C'est peu de temps après que les choses ont commencé à se gâter. Cela s'est manifesté par une brève mais pénible sensation de froid alors que j'avais déjà rejoint mon fœtus depuis un moment.

Je n'avais jamais éprouvé cela… Lorsqu'on descend dans un ventre pour l'habiter et que cela se passe harmonieusement, c'est comme une brise tiède qui vient nous visiter et on se met à entendre doucement la circulation de tous les fluides du corps qui nous accueille.

Tout d'abord, cela fait songer au chant d'un ruisseau entre les pierres et la mousse ; on dirait aussi qu'il y a un peu de vent qui joue dans des feuillages invisibles. Puis, tout cela s'estompe et l'ambiance devient plus feutrée. C'est à ce moment-là que l'on se met à capter les sons et les pensées qui viennent de notre futur univers. Nos parents ne peuvent pas nous cacher grand chose quand nous sommes parmi eux ! Nous buvons directement à leur cœur...

J'ai donc été prise par une désagréable sensation de froid. Cela m'a repoussée rapidement hors du corps de ma mère et j'ai voulu oublier cela jusqu'à ma prochaine visite. Mais, là encore, c'est le même froid qui m'a attrapée ! J'ai eu des sortes de frissons et, en même temps que ceux-ci me parcouraient, je devinais ma mère qui se plaignait du ventre. Oh, ça n'a pas duré longtemps... Ce qui m'a surtout inquiétée, cette fois-là, c'était les sonorités que j'entendais ou plutôt, que je n'entendais plus vraiment. Au lieu de recevoir une mélodie continue et limpide, tout venait à moi de façon saccadée, presque en pointillés.

Mais c'est le lendemain que les choses ont pris une autre tournure... J'ai éprouvé de la difficulté à rentrer dans mon fœtus. De la même façon que le font tous ceux qui naissent de leur propre gré, j'ai commencé à m'y glisser par le sommet du crâne - la fontanelle - c'est-à-dire comme on enfilerait délicatement un gant que l'on pressent trop étroit.

J'ai eu mal. J'aurais juré que mon corps ne voulait pas de moi, qu'il rejetait ma présence, que j'étais un intrus. Je me souviens avoir essayé de bouger et peut-être de me débattre. Une sorte de réflexe... mais aussi une réaction volontaire pour dire que c'était moi qui comman-

dais à mes bras et à mes jambes et que j'étais bien décidée à m'y faufiler jusqu'au bout.

Là encore, ma mère s'est plainte. À l'intérieur de
moi-même, je l'ai vue s'allonger puis je l'ai entendue appeler mon père.

Inutile de vous dire que nos angoisses se sont conju-
guées... L'instant d'après, j'ai été expulsée hors de mon
petit fœtus. C'était une force extérieure à moi qui dirigeait ce retrait. Moi, j'aurais voulu m'accrocher, bien
sûr, mais...

Alors, j'ai assisté à tout... Ma mère qui se tordait de
douleur, le coup de fil de mon père, l'arrivée de l'ambu-
lance et... ma mort sur la civière. Je devrais plutôt dire
"mon envol" car, à franchement parler, je n'ai pas eu
mal. Je vivais une sorte d'anesthésie, un peu comme si
tout cela n'était pas vrai. J'ai à nouveau eu froid, mais ce
n'était plus la même qualité de froid. Il ne me faisait pas
frissonner. C'était plutôt une fraîcheur enveloppante qui
devenait de plus en plus tendre.

J'ai compris que celle-ci montait de mon père. Il
priait, vous comprenez... Il ne savait pas vraiment à qui il
s'adressait, mais il priait... Si vous saviez comme cela
m'a aidée !

Pourtant, ce ne sont pas les mots qu'il prononçait au
dedans de lui-même et que j'entendais clairement qui
m'ont vraiment soutenue, voyez-vous. C'est plutôt la
force d'amour qu'il y avait derrière eux. Elle dépassait de
beaucoup tout ce qui surgissait de l'incompréhension de
ce que nous avions à vivre ensemble.

Je n'ai pas pu rester longtemps auprès de mes parents. Mes racines sur Terre étaient si peu profondes !

132

Au bout de quelques heures, j'ai été aspirée vers le haut, emportée par une sorte de courant d'air lumineux. Comme vous le voyez, je n'ai pas vraiment souffert, non. Seulement voilà, je suis "remontée" avec une grande frustration, une frustration qui s'est très vite muée en colère lorsque j'ai compris ce qui s'était passé.

- Tu l'as compris rapidement ? J'imagine que ce sont tes guides qui t'ont informée... intervient Florence.

- Ils m'attendaient, oui. Mais juste pour me consoler, sans rien vouloir me dire, d'abord. Les explications ne sont venues que par la suite, dès que je suis parvenue à me sortir suffisamment de l'ambiance terrestre.

« C'est un nouveau problème auquel nous sommes de plus en plus souvent confrontés, m'ont-ils annoncé. Un grave problème de société. Un problème qui parle de la toxicité croissante du monde de la Terre actuelle. »

Évidemment, je les ai harcelés de questions. D'une certaine façon, je crois que j'aurais accepté plus facilement que l'on invoque des raisons de nature psychologique ou un karma subtilement caché. Mais non... Ce qui m'était dit se révélait être d'ordre strictement mécanique !

- Une malformation ?

- Pas du tout ! Une fragilisation... Un affaiblissement soudain et rapide du métabolisme humain, en général. On m'a expliqué que les femmes étaient touchées de façon plus manifeste que les hommes en raison de la grande complexité de ce qui se passe dans leur corps. Je veux dire que leur capacité à porter un fœtus et à enfanter rend leur organisme plus délicat et plus déréglable que celui d'un homme. Tout cela n'est un secret pour personne, évidemment... mais le problème s'amplifie désormais hors de toute proportion du fait de la toxicité croissante de l'environnement terrestre.

- Tu veux dire qu'un grand nombre de fausses-couches sont désormais provoquées par la pollution, fais-je.

- Tout dépend de ce que vous appelez pollution... Ce qui m'a été révélé par mes guides ne met pas seulement en accusation l'air que l'on respire ou l'eau que l'on boit. Cela pointe aussi du doigt la qualité des aliments, les champs électromagnétiques et la multitude des ondes de toutes natures qui parcourent la Terre. C'est toute cette "chimie" qui épuise les corps, particulièrement celui des jeunes femmes, jusqu'à prédisposer celles-ci aux fausses-couches ou aux grossesses difficiles[1]. Dis-lui ce qui se passe, toi...

Notre interlocutrice vient de se tourner vers l'homme au vêtement gris clair. Manifestement, l'émotion ne cesse de monter en elle et, plutôt que de s'emporter, elle préfère lui laisser la parole.

- Oui, Marie... répondit-il en saisissant aussitôt la proposition qui lui est faite. Il vaut mieux que ce soit moi qui continue. Tu es ici depuis trop peu de temps et il est inutile que tu te blesses ainsi que tu commences à le faire.

Vous comprenez, dit-il maintenant en me regardant avec intensité, tout est inconsidérément mis en œuvre aujourd'hui pour que le corps humain perde son équilibre fondamental et son auto-régulation. Vous avez pu maintes fois le constater, la frontière entre les mondes est bien plus poreuse qu'on ne se l'imagine. En empoisonnant de

---

[1] Actuellement, sur le continent nord-américain, des statistiques officielles reconnaissent qu'une première grossesse sur trois s'achève par une fausse-couche.

mille façons le corps physique, on en vient à déstructurer également sa contre-partie subtile. Je ne parle pas du "corps de l'âme", bien sûr, mais de ce que vous appelez classiquement le corps éthérique, c'est-à-dire du champ de forces organisées qui soutient la réalité physique d'un organisme.

Autant on peut affirmer que certaines maladies prennent naissance à la suite d'une information émise dans le monde subtil, autant il est désormais impossible de nier l'impact des pollutions terrestres de toutes natures sur l'espace éthérique.

En amont des organes de chair qui se voient sans cesse davantage atteints par une multitude de poisons, se trouvent, évidemment, les glandes et plus particulièrement les glandes endocrines. Chacune de celles-ci est directement en rapport avec un chakra bien spécifique lequel est sensé, normalement, lui fournir ses informations.

Ce qui se passe aujourd'hui a cependant tendance à "inverser de plus en plus souvent la vapeur". Je veux dire par cela que les ordres transmis par les chakras au système endocrinien et à différentes parties du corps physique sont de plus en plus faibles en regard de ceux qu'un organisme de chair reçoit du monde matériel.

Comprenez-moi… En d'autres termes, les agressions qui bombardent un corps et qui se montrent sans cesse plus violentes et constantes sont désormais souvent supérieures en puissance à l'action de rééquilibrage menée par le système énergétique des chakras.

Vous savez qu'une jeune femme qui débute une grossesse - et particulièrement une première grossesse - impose à son corps une énorme transformation. Certains de ses centres énergétiques sont donc parfois poussés à travailler pour la première fois à un rythme différent de celui auquel ils sont habitués. Si ceux-ci ont été quelque peu déstabilisés par ce que nous avons évoqué, le risque d'une fausse-couche devient alors relativement important. Il faut souvent une seconde grossesse pour que le corps subtil réagisse mieux et compense à sa façon puisqu'il a déjà été sollicité à ce niveau-là.

- Alors, en termes beaucoup plus prosaïques, intervient Florence, cela veut-il dire qu'un corps de jeune femme se trouve de plus en plus contraint de faire un "premier essai" avant d'être en mesure de mener une grossesse à terme ?

- Cela devient aussi clair que ça ! Le corps humain est aujourd'hui soumis à des tensions si nouvelles et si brutales qu'il se désorganise dans des proportions importantes. Mais note bien cela, Florence, ce n'est pas seulement tout ce qu'on ingère par la bouche ou qu'on respire par les narines qui blesse le corps jusqu'à parfois le déstructurer en profondeur. C'est aussi son espace vibratoire, au sens large du terme.

Je te parle ici de la véritable armée des ondes et des champs magnétiques de diverses sources qui l'agressent en permanence. Je te parle des fours à micro-ondes comme des téléphones cellulaires utilisés à une cadence de plus en plus inconsciente et dont la toxicité est le moindre souci de chacun. Je te parle aussi de la présence des courants électriques à haute tension...[1]

---

[1] À titre d'information complémentaire, il est à noter que des recherches avancées sur les propriétés des ondes électromagnétiques sont actuellement menées par l'armée américaine (Projet H.A.A.R.P., entre autres) afin d'agir sur la ionosphère de notre planète. L'un des

Comment réagir ? Il ne m'appartient pas de le dire autrement qu'en le soulignant de cette façon. Le monde de l'âme envoie des signaux continuels à son prolongement terrestre mais il ne donnera pas un coup de baguette magique au-dessus d'une humanité qui refuse obstinément de considérer sérieusement ce qui se passe en son sein.

La sagesse, vois-tu Florence, se travaille à la base de la pyramide humaine, c'est-à-dire dans la matière, les pieds et les mains dans la glaise. Elle ne s'imposera pas du "haut", car elle reste continuellement à découvrir par soi-même si elle veut mériter son nom.

Le réseau de *nadis* qui constitue en quelque sorte le circuit sanguin du corps subtil commence à être gravement affaibli ou endommagé chez bon nombre d'hommes et de femmes incarnés. Les courts-circuits s'y multiplient, provoquant ainsi toutes sortes de pathologies nouvelles et mystérieuses.

Dans un tel contexte, on ne s'étonnera donc pas que tout le domaine de la procréation soit particulièrement éprouvé. Les systèmes hormonaux des deux sexes sont agressés chacun à leur façon et il faut désormais s'attendre à de plus en plus d'aberrations...

---

buts recherchés est de constituer une sorte "d'arc-antenne" électrique visant à provoquer, pour une multitude de raisons tactiques, une pluie de radiations électromagnétiques sur des zones données. Hormis les effets militaires avoués, les projets en question ont pour but, pour des motifs d'économie et de politique, de modifier l'équilibre météorologique de la planète (cf "Par l'esprit du Soleil" de D. Meurois et A. Givaudan) et d'affecter, au moyen de fréquences extrêmement hautes ou extrêmement basses, les fonctions cérébrales propres à la pensée, de générer des problèmes de santé et d'exacerber des conflits psychologiques... là où certains l'estiment "nécessaire".

Ainsi, vous voyez, poursuit l'homme au vêtement gris clair sur un ton qui se fait volontairement plus léger, s'il y a beaucoup de raisons qui poussent certains à ne pas vouloir retourner sur Terre, il y en a de nombreuses aussi qui les en empêchent. Il faut pourtant que la Vie se faufile au milieu de tout cela !

Le drame, c'est qu'à moins d'avoir acquis une certaine maturité d'âme, on ne comprend pas à quel point le fait de se voir offrir un corps dans un monde tel que celui de la Terre représente un cadeau inestimable. Beaucoup le prennent pourtant comme une punition ou un boulet à traîner…

- Mais cela y ressemble si souvent ! s'écrie soudain Florence dont l'exclamation est aussitôt reprise par Marie.

- Faute de compréhension, faute de simplicité… N'est-ce pas pour tenter, une fois de plus, de remédier à cela que nous nous sommes regroupés ici et que nous parlons ? Les choses sont toujours simples si on accepte de les observer avec le bon sens spontané du cœur…

- A-t-il jamais existé, celui-là ? proteste à nouveau Florence dans une pointe d'amertume qui tente de se déguiser en humour.

- Il faut souvent perdre quelque chose pour s'apercevoir que ce quelque chose nous manque… La liberté qui nous est donnée est là pour nous aider à de telles prises de conscience. Tu comprends… Son cadeau implique une multitude de fausses pistes dans les ornières desquelles on s'embourbe jusqu'à nous forcer à reconnaître notre entêtement orgueilleux.

- La liberté ? Mais nous tous qui sommes rassemblés ici après toutes sortes de "non-naissances" douloureuses ou frustrantes, crois-tu que nous en ayons réellement bé-néficié ? Je nous vois plutôt pris dans une véritable méca-nique de précision qu'on appelle karma et qui ne nous laisse rien passer... Je ne demanderais pas mieux, moi, que de recommencer une vie simple, belle et pure sans avoir à passer par un parcours du combattant pour naître puis sans devoir ensuite tirer le boulet d'un passé dont je ne me souviens pas !

Cette fois, c'est Marie qui s'est adressée à l'homme au vêtement gris clair. Celui-ci ne réagit pas. Il sait ce qui va se passer. Moi aussi, d'ailleurs, je l'ai compris...

En l'espace d'un battement de cils, la présence de Marie s'est estompée, puis a totalement disparu de notre cercle. Sa colère l'a emportée ailleurs. Ailleurs, c'est un autre espace mental de l'univers, une zone de conscience plus conforme à la réalité intérieure qu'elle vit présente-ment[1]. Marie va traverser son orage dans cet ailleurs, seule ou avec d'autres, puis elle reviendra ici, quelque part, afin de parfaire sa guérison...

- Elle avait pourtant un peu raison...

Florence regarde avec insistance l'homme au vête-ment gris. Je la sens moins présente, elle aussi, comme si elle reprenait maintenant à son compte une partie du dou-loureux questionnement de Marie.

---

[1] Il s'agit, en fait, du même phénomène que nous expérimentons tous dans le monde des rêves lorsque les décors à travers lesquels nous nous déplaçons changent instantanément ou lorsque les personnes que nous y rencontrons modifient leur aspect sans la moindre transition. Il n'est pas question ici de "fantaisies de notre imagination" au sens clas-sique de l'expression, mais bien de réalités de type holographique vé-cues dans d'autres univers ou niveaux de conscience.

- Nous avons tous raison dans l'univers où nous habitons, vois-tu… Parce qu'un univers, c'est d'abord une réalité intérieure que nous nous forgeons et dans laquelle nous plaçons des éléments qui sont en résonnance avec nous. Alors, voilà… La raison se déplace et se façonne selon l'altitude que l'on est capable d'atteindre. Elle ressemble en cela à la Vérité… non pas parce qu'elle est une illusion mais plutôt parce qu'elle se compose d'une multitude de facettes. La plupart du temps, là où nous nous trouvons, nous ne percevons pas le diamant multidimensionnel de la Vie tout simplement parce que nous avons l'œil collé au périmètre de l'une de ses facettes.

Marie vient d'accuser le karma d'être, en quelque sorte, une mécanique impitoyable et, finalement, dépourvue de compassion puisqu'elle nous fait revenir au monde avec des "virus" que nous ne comprenons pas ou si peu. À un premier niveau, sa colère est logique… Elle est logique tant que l'on n'a pas identifié l'auteur de la loi de cause à effet. Celui-ci est-il ce que nous appelons la Divinité ? Certainement pas, non…

Le karma est une invention du Temps… qui lui-même est l'invention de l'une des manifestations que la Conscience a choisies lors de cette Vague de Vie qu'est l'actuelle Création.

Ce que nous appelons Dieu, voyez-vous, se situe bien au-delà de tout ça. D'une façon imagée, je pourrais dire que nous ne sommes pas capables d'appréhender autre chose que la hauteur de Son talon tant nos concepts sont inappropriés.

Le karma ? C'est le mouvement de vie que nous alimentons qui l'a mis au point comme méthode d'équilibrage et de régulation. Et nous avons alimenté celui-ci dès que nous avons pénétré délibérément et collective-ment dans cette sorte de prison mentale qu'est le Temps.

Vous savez, moi aussi, je me suis révolté maintes fois avant d'être en mesure de vous parler ainsi. La capacité de rébellion est précisément l'un de ces cadeaux inestima-bles que la Force de Vie a placés en nous. Elle représente une énergie de mouvement et, par conséquent, salutaire.

Ne soyez pas peinés pour Marie. Elle suit son che-min, comme vous tous et comme moi. La Vie ou le Divin nous donnent souvent la sensation de se tromper ou de nourrir l'injustice mais croyez bien qu'il n'y a *pas un seul obstacle* qui soit dénué de sens.

Là où les naissances et les morts se conçoivent et s'organisent, on apprend cela aussi et peut-être même... avant toute autre chose !

# Chapitre VII

## Le don de paix

À nouveau, j'ai laissé passer les jours, les nuits et les semaines sans les compter. Je les ai laissé défiler jusqu'à ce matin où le corps de mon âme a intensément éprouvé le besoin de s'élancer dans son espace. Sans résistance et sans savoir jusqu'à quel port il me fallait voguer, j'ai franchi les distances.

C'est ainsi que je me retrouve, pour la seconde fois, dans le petit meublé d'Émilie. L'atmosphère y est houleuse. Elle m'agresse immédiatement.

Pierre est là, debout près de la porte de sortie, en saisissant puis en lâchant sans cesse la poignée comme pour menacer de sortir. Il est pâle, presque livide ; de toute évidence, il étouffe sous une colère qu'il ne parvient pas à exprimer. Autour de lui, ce ne sont que des volutes grises et brunes… les sécrétions de son âme souffrante, autant de masses d'énergie qui vont s'infiltrer jusque dans la matière des murs de l'appartement.

Quant à Émilie, je l'aperçois assise sur le bord de son lit, les yeux rouges et le cou tendu vers lui qu'elle ne peut pas voir mais dont elle devine le moindre mouvement. La fine cloison de plâtre qui les sépare et à travers laquelle ils tentent encore de se parler est en réalité devenue une épaisse muraille.

- Je n'en peux plus que tu vives avec ça ! finit par lâcher Pierre. Tu ne vois pas que tu t'épuises et que tu m'épuises en même temps ?

- Mais écoute-toi... Pourquoi est-ce que tu *l'*appelles encore avec ce mot-là ? *Ça* ! *Ça* !

Entre deux sanglots, les paroles d'Émilie s'étranglent dans sa gorge. Pierre ne répond pas. Au fond de son impasse, il ne trouve plus rien à dire. À l'extrémité du couloir, on entend seulement la porte claquer sèchement. Voilà, il vient de partir, avalé par sa solitude à lui.

Est-ce une vraie rupture ? De mon poste d'observation, j'en ai la quasi-certitude. Pierre et Émilie vivent désormais sur deux planètes trop différentes. La première n'est faite que d'une raison raisonneuse tandis que l'autre est pavée de culpabilité. Quel être pourrait intervenir en lançant un pont entre elles ?

- Certainement pas moi... C'est mieux ainsi, je crois.

La voix qui vient de murmurer de la sorte sa vérité est celle de Florence. La jeune femme a soudainement surgi dans mon espace de lumière ; elle aussi a tout capté, tout saisi de ce qui vient de se produire, jusqu'à ces pensées qui m'habitent et qu'elle a attrapées au vol. En une fraction de seconde, elle a pénétré "de plein cœur" dans mon champ de vision.

Elle aussi a changé de planète, me semble-t-il. Son sourire est plus vaste, plus plein, plus paisible... et, surtout, Florence a abandonné sa longue robe bleue qui finissait par ne plus dire que la tristesse de son âme. Elle se présente à moi toute de jaune vêtue comme pour témoigner d'un soleil qu'elle serait parvenue à retrouver. Si seulement Émilie pouvait la voir ainsi ! ...Émilie qui s'est allongée sur son lit et qui pleure à gros sanglots, le visage contre l'oreiller.

- Non, ce n'est pas moi qui lancerai un pont, reprend doucement Florence tout en se tournant vers elle puis en lui passant la main dans les cheveux. Il faut que deux rives veuillent fredonner la même chanson pour que l'on s'acharne à les unir. Je sais que leur histoire commune s'arrête ici dans cette vie, j'en ai eu la claire vision auprès de ceux qui me guident.

Ce n'est pas un échec, non... On croit toujours qu'il faut parler d'échec lorsqu'un lien vient à se rompre. Mais pourquoi donc ? Un lien d'amour vrai libère, jamais il n'attache. Deux cœurs qui choisissent le silence pour masquer leurs différences en terrain neutre sèment en eux et autour d'eux des graines de discorde et de souffrance...

Peux-tu m'entendre, Émilie ? Il faut apprendre à regarder une telle vérité et ne pas en faire un drame. L'échec, c'est plutôt de faire semblant de parler la même langue...

Au ras du sol, sur la moquette, le radio-réveil fait clignoter inlassablement ses gros chiffres lumineux verts. 9 h 30 du matin...

Émilie ne suivra pas ses cours, aujourd'hui. Elle en serait bien incapable. La voilà d'ailleurs qui libère ses pieds de leurs sandales et qui cherche à tâtons quelque chose au fond de son sac à main, à côté du lit. Je comprends tout de suite de quoi il s'agit... une petite boîte de somnifères. Émilie en soulève fébrilement le capuchon de plastique puis y prend deux comprimés blanc et rose avant de repartir dans une crise de sanglots. Peut-être est-ce bien ainsi... Peut-être a-t-elle simplement besoin de dormir plutôt que de traîner sa journée entre des flots de larmes.

- C'est pour cela que je vous ai appelé, me dit calmement Florence tout en continuant de passer sa main dans la chevelure d'Émilie. J'ai vu ce qui se préparait... Elle ne va pas tarder à sombrer dans le sommeil et, avec un peu de chance, nous pourrons la rejoindre comme il y a quelque temps. Vous vous souvenez ? L'attraper dès qu'elle sortira de son corps, l'embrasser, lui parler... C'est la seule solution pour elle et pour moi.

- Et Pierre ? Tu n'as pas tenté de le contacter de cette façon-là ?

- J'ai essayé mais cela n'a servi à rien. Il a mis beaucoup de distance entre son âme et son corps, alors il ne ramène aucun souvenir des quelques brèves discussions que j'ai pu avoir avec lui. En fait... sa formation et sa sensibilité sont aujourd'hui tellement différentes des miennes que sa conscience m'échappe tout de suite pour aller se placer sur une fréquence de vie à laquelle je n'ai pas accès.

Il aurait fait un très bon père, je le sais, cela n'a rien à voir... Mais sa conception de *ce qui est* est si étrangère à la mienne que nos âmes ne peuvent pas vraiment se rejoindre sur le même plan d'existence. Il a pris un autre chemin, c'est tout.

En réalité, il reste cohérent à l'intérieur de son propre monde. Voilà pourquoi sa réflexion ne peut jamais dépasser les limites de certaines frontières au sein desquelles il se déplace bien. Il s'est bâti une logique et il s'y tient... comme la plupart des gens. Il le sait, d'ailleurs : s'il lâche son garde-fou, il prend peur. Un plongeon dans l'infini de la Vie, ça ne convient pas à tout le monde ! C'est un peu pour cela qu'il n'est jamais malade... En se "bétonnant" l'âme, il s'est "bétonné" le corps !

- Tu cherches à me dire que l'on se fragilise dès que l'on commence à se poser de vraies questions...

- C'est évident ! Si on s'interroge sur ce qu'il y a avant et après l'espace d'une vie, si on accepte de s'enfoncer dans les comment et les pourquoi, on prend d'abord le risque de connaître un immense vertige. C'est là où il arrive que l'organisme physique se désynchronise... jusqu'à ce que des sortes d'ailes lui poussent de chaque côté du cœur et lui fassent enfin retrouver son équilibre, après des années de souffrance et d'effort !

- Et pour en revenir encore à Pierre ?

- C'est son histoire... Sa décision lui appartient. Mais c'est quelqu'un de bon. Il ne pourra pas toujours se mentir par réflexe de protection. Vous le savez bien... la réalité de l'âme n'est pas optionnelle. Même si on la nie, elle nous suit et finit toujours par réapparaître... L'Intelligence de la Vie met parfois en place de si incroyables scénarios !

Vous voyez Émilie ? Eh bien, je suis maintenant persuadée que son rejet d'un enfant va être pour elle une occasion de découvrir une autre dimension de son être. Le mur qu'elle va devoir défoncer, c'est celui de son sentiment de culpabilité.

Je regarde Florence me parler ainsi, la main traînant encore dans les cheveux de celle qui devait être sa mère, et je suis bien obligé de convenir que ce n'est plus le même être humain qu'il y a quelques mois qui m'adresse la parole. Le labyrinthe dont elle s'est finalement sortie lui a dilaté le cœur.

Dans la chambre, le silence s'est peu à peu réinstallé. Les longs sanglots de la jeune femme se sont espacés puis ont cessé pour faire place à une lente respiration qui raconte un épuisement. Florence me rejoint maintenant au pied du lit et nous contemplons tous deux une Émilie abandonnée et dont les poings viennent à peine de se décrisper de l'oreiller.

Brusquement, le corps d'Émilie bascule... Je veux dire le corps de son âme, sa forme de lumière. La voilà maintenant droite, presque face à nous, les yeux hagards. Nous a-t-elle aperçus ? Je ne le pense pas. Elle me donne plutôt l'impression de se réveiller tout en cherchant à écarter un rideau de larmes pour se souvenir de qui elle est.

Bien vite, cependant, son regard rencontre celui de Florence puis s'y plonge...

- C'est encore toi ? Oh, laisse-moi... Tu vois, je ne suis plus bonne à rien. Pourquoi est-ce que tu me poursuis ? Tu n'as donc pas un peu pitié de moi ?

Pour toute réponse, Florence tente d'enlacer la jeune femme dans ses bras comme si l'enfant qu'elle devait être devenait soudainement mère. Mais la forme d'Émilie lui échappe, elle s'est subrepticement glissée entre les particules de la lumière jusqu'à un angle de la chambre.

- Et lui, qui est-il ? fait-elle en me découvrant d'un air las.

- Un ami...

- Ah oui, je sais… Tu me l'as déjà dit… Écoute, Florence, laisse-moi… Hier, j'ai encore vu des photos dans un magazine. Des images incroyables, à deux mois, à trois mois, à six mois… On croirait que tout est fait pour me faire souffrir et que "là-haut" on s'acharne à me rendre encore plus malade. J'ai beau me dire que ce n'est pas vrai, il y a… une sorte de précipice devant moi et je ne peux rien faire.

Sans que je le veuille, mon attention décroche de la conversation ou plutôt des plaintes d'Émilie. Je vois bien que celle-ci tourne sur elle-même à la façon de ces vieux disques rayés et qu'à chaque phrase qu'elle prononce, le sillon de sa souffrance se creuse un peu plus. Ce sillon est devenu une véritable prison dont les parois limitent son horizon au seul sentiment de culpabilité.

Il en est souvent ainsi de ceux qui souffrent dans leur âme ; ils sont captifs d'une ornière, souvent faute de pouvoir comprendre le sens profond de ce qu'ils vivent, faute du regard en altitude dont les prive notre culture conditionnante.

« C'est bien… C'est mal. »… Notre société nous a finalement appris à ne réagir que selon ces deux principes d'un dualisme puéril. Pour conséquence, le "Bien" et le "Mal" se renvoient éternellement la balle sur la toile de fond de nos consciences qui, année après année, prennent progressivement des allures de champs de bataille.

« Mais nos combats, c'est nous qui les décidons ! ai-je envie de dire à l'oreille d'Émilie qui continue de fuir la tendresse de Florence. Si tu te laisses dévorer par un passé qui te fait mal, si tu entres en guerre contre une part de toi-même qui te déplaît ou dont tu as honte, tu ne feras jamais autre chose que te couvrir d'armures successives afin de livrer d'incessantes batailles.

Inviter la paix, comprends-tu, ce n'est pas nier nos droits et nos souffrances ni ceux d'autrui, ce n'est pas davantage fermer les yeux et se boucher les oreilles, c'est avoir le courage de sortir de notre réflexe quasi génétique de destruction ou d'auto-destruction. Il y a tant de choses qui attendent d'être construites ! »

Émilie n'a, hélas, pas capté ce qui m'habite et que, par discrétion, je n'ai pas projeté au devant d'elle. Elle stationne dans son monde de détresse et commence à générer celui-ci autour d'elle. L'univers de sa chambre ne se ressemblera bientôt plus. Elle en change la structure au rythme de la vague d'amertume qu'elle laisse monter en elle. Elle nous emporte aussi sur sa fréquence... et plus rien n'existe alors que par la couleur de son regard.

Nous sommes dans un désert balayé par le vent... Des bourrasques créent des tourbillons de sable qui s'élèvent du sol vers un ciel d'ocre et qui courent en tous points de l'horizon. Rien ne fait de bruit, pourtant ; le silence lui-même est sec, vidé de sa vie.

Émilie s'est laissée tomber dans la poussière de ce décor soudainement né de son âme en déroute. Elle projette sa solitude autour d'elle comme une onde dont la destination serait de tout effacer. Florence est là, aussi. Elle s'est agenouillée près d'elle et parvient à lui prendre la main.

- Je suis à tes côtés, lui dit-elle doucement. J'existe, je respire, je vis, mon cœur bat... Tu vois bien que tu ne m'as pas tuée... On ne peut pas tuer la vie, c'est impossible ! On parvient juste parfois à la détourner un peu...

pour qu'elle emprunte un autre itinéraire. C'est simplement cela qui est arrivé, comprends-tu ? Il n'y a pas de quoi en mourir ni décolorer le soleil !

M'écoutes-tu, Émilie ? Regarde-moi... Tu n'es plus ma mère et je ne suis plus ta fille. Nous ne sommes en réalité que deux êtres humains qui essaient d'avancer comme ils le peuvent. Parfois ensemble, parfois chacun de leur côté... mais toujours du mieux possible. Oui, il nous arrive d'écrire de belles pages dont nous sommes fiers et puis d'autres que l'on a envie d'arracher, de chiffonner pour les jeter à la corbeille. Et alors ? Ce qui est arrivé devait sans doute arriver... La liberté de diriger sa vie, c'est aussi celle de ne pas toujours tout comprendre ni tout maîtriser. C'est cela qui participe également à la beauté d'un être, ne crois-tu pas ?

Émilie se refuse à regarder Florence. Elle a les yeux rivés sur la sécheresse du sable et ne semble même pas s'être aperçue de la puissante douceur des paroles qui viennent de lui être offertes. A-t-elle seulement entendu quelque chose ? Le désert, c'est elle. Elle s'y retrouve avec son petit peignoir de coton froissé sur lequel baille un personnage de bandes dessinées, celui qu'elle porte négligemment au fond de son lit. Il lui sert de point de repère, elle s'en est revêtue mentalement jusqu'en cette zone de son âme.

- Tu ne crois pas, Émilie ? reprend Florence. Tu veux continuer à être malade ?

- Mais je ne suis pas malade !

La jeune femme a bondi et, d'un geste vif, elle a libéré sa main de celle de Florence.

- C'est un peu la même chose... Quand on se sent en faute et que le sentiment de cette faute revient sans cesse nous chercher, c'est presque un virus qui passe par tous les systèmes de notre corps. On se dévitalise, on n'a plus de joie pour grand-chose, on devient irritable... Si tu n'appelles pas cela une maladie !

- Arrête donc... Je suis seulement épouvantablement triste. Triste et seule... avec l'impression d'avoir raté quelque chose.

- Tu as le droit d'être triste... Pleure même toutes les larmes de ton corps, si tu en as besoin ! Vide-toi surtout de tout ce qui conserve la mémoire de cette tristesse. C'est juste et je ne te dirai pas le contraire. Je ne veux seulement pas que tu stationnes là, dans cette impasse... dans ce désert dépourvu de sens.

Ce que je cherche à te dire, c'est que la tristesse, le remords et tout ce qui ressemble à ça, eh bien, on s'habitue vite à dormir avec eux sous notre couette ! On finit par oublier qu'ils sont là et que ce sont eux qui ont choisi jusqu'aux motifs de la tapisserie des murs de notre chambre. Ils nous collent à la peau de l'âme et, s'il arrive qu'on s'en aperçoive et qu'on ne veuille plus d'eux, ils continuent de s'inviter malgré tout, tant ils ont fait leur lit en nous...

Alors, réagis vite, Émilie ! Voilà ce que je suis venue te dire. Bouge, invente mais ne stationne pas ici ! La Vie a besoin de passer à travers toi et elle peut le faire de mille façons différentes. Tu n'as rien à combattre. Tes imperfections ? Tes faiblesses ? Et puis après ? Un être humain n'est pas une machine conçue pour débiter toujours la même réponse ; il n'est pas un robot aux gestes impeccables et c'est pour cela qu'il peut manifester de la grandeur au milieu de ses difficultés. Peut-être même *surtout* au milieu de ses difficultés ?

La solitude, le rejet, le remords, l'incompréhension... J'ai traversé tout cela moi aussi, à ma façon, il n'y a pas si longtemps... Regarde-moi, maintenant ! Est-ce que je ne me suis pas reconstruite ? Voilà également ce que je suis venue te dire. Même si tu prends cela pour un rêve, même si tu gommes ces instants de ta mémoire, je veux que ces quelques paroles restent gravées profondément dans ton cœur.

Je ne t'offre pas ma pitié, tu ne seras jamais ma « pauvre petite Émilie » que la vie n'a pas ménagée et que son compagnon n'a pas su comprendre entre les mots. Non... Tu es une femme, une adulte et, tout simplement, un être humain qui apprend... à devenir encore davantage humain.

Ce que je voudrais te donner ? C'est ma joie nouvellement retrouvée. Une joie qui commence d'abord par la faculté de *savoir rebondir*... Cela t'étonne, n'est-ce pas, savoir rebondir ! Le secret se situe pourtant là, en plein cœur du rebondissement ! Je ne te dirai pas béatement que le vie est facile et qu'il suffit de la traverser en passant d'une chose à l'autre, les yeux bandés, et en laissant tout glisser. Non, elle n'est pas facile, c'est vrai... Je te dirai plutôt que savoir rebondir, c'est d'abord apprendre à ne jamais perdre de vue l'essentiel...

- L'essentiel ? Mais parlons-en ! C'est quoi ça, l'essentiel ?

- C'est... ni plus ni moins ce qui vit *là*... exactement *là* !

Et doucement, avec une infinie délicatesse, Florence va poser sa main au centre de la poitrine d'Émilie. Elle l'y maintient longtemps, longtemps... si longtemps qu'il me semble même que les deux jeunes femmes articulent au-dedans d'elles une langue que je n'entends pas, une langue dont le secret leur appartient et qui est le fruit patiemment mûri de leur histoire commune.

Et c'est un véritable enseignement que je recueille là, en cet instant. Florence n'est pas un maître de sagesse mais c'est la Vie qui la traverse qui en est un... parce qu'elle a décidé de la laisser se répandre. Cette Vie nous murmure simplement à l'oreille que, nous tous qui nous rencontrons, qui nous affrontons et qui nous fermons des portes jusqu'à parfois nous rejeter, nous ne faisons que continuer de tracer ensemble de longues histoires communes, des histoires au sein desquelles l'amour est la quête suprême.

L'amour ? Oui, le grand mot est lâché ! Quel amour, au fait ? Peut-être, étrangement d'abord, l'amour de soi. Pas un amour narcissique, non... Mais l'amour de Ce qui nous habite et nous pousse à avancer, éternellement. Cet amour de soi, c'est l'amour du Divin, *la* Force qui se faufile partout. Partout ! Jusqu'à parvenir à germer dans ce que l'on prend pour le plus sombre des abîmes.

Elle ne parle pas de religiosité, cette Force-là. Elle ne raconte que Ce qui palpite en chacun et que nous tentons d'apprendre à reconnaître, de vie en vie et de brouillons en impasses derrière les miroirs déformants de nos cultures.

C'est elle et rien d'autre qui veut rebondir en nous et qui cherche, après mille méandres, à nous enseigner comment poser un regard de tendresse sur nous-même. Car il est difficile à poser, ce regard-là ! Le nôtre, le vieux, celui avec lequel nous nous rencontrons chaque jour dans un miroir, est tellement éduqué à juger et à se juger qu'il inscrit ses faux-plis dans la multitude de nos attitudes et de nos actes.

Alors, je voudrais que la tendresse soit ta route, Émilie. Nul n'a rien à faire dans ce désert d'amertume où tu caches ta solitude. Faire disparaître la sécheresse ne tient qu'à une décision de ta part. Oui, c'est toi qui décides ! Si tu veux que ta vie soit une vraie vie et que ta maison n'aie pas un sous-sol bourré de souvenirs pesants et moisis, c'est *maintenant* que tu dois réagir.

Pardonner ? Mais tu n'as rien à te pardonner ni à pardonner à qui que ce soit ! Ne te laisse pas prendre dans une telle toile d'araignée ! Peut-être as-tu été maladroite ou pas assez lucide… Oui, cela c'est possible… Cependant, dis-toi que celui qui ne rencontre jamais le brouillard ne prend pas le risque de se transformer pour un mieux. Quand on avance, on rencontre forcément tous les climats et tous les paysages. C'est la preuve que la vie circule en nous et que nous ne dormons pas. Il n'y a rien de pire que le sommeil de l'immobilisme, rien de pire qu'une vie où il ne se passe rien !

Avoir l'impression de s'être trompé n'est pas grave. Ce qui l'est, par contre, c'est de ne jamais rien tenter ni rien choisir, c'est de rouler sur l'autoroute d'une existence en s'assurant toujours que notre ceinture de sécurité est correctement arrimée. C'est là que l'on meurt !

Regarde-moi donc maintenant, Émilie ! Ose ! Je vis, tu vois… Et je ne te pointe pas du doigt ! Je te souris et je t'attends… Je t'attendrai le temps qu'il faudra… Jusqu'à ce que le Divin lance à nouveau un vrai grand pont entre nous. Je ne sais pas si ce sera bientôt ou… beaucoup plus tard mais cela n'a aucune importance car, alors, ce sera juste.

Émilie a fini par regarder Florence dans les yeux. C'est même elle qui essaie, à présent, de lui prendre timidement la main. Le désert est toujours là, pourtant. Son décor demeure encore planté dans le fond de son âme. Il faudra un peu de temps, sans doute, pour qu'Émilie n'en parcoure plus les pistes.

Quant à Florence, elle me cherche du regard. J'ignore, d'ailleurs, si je lui suis vraiment perceptible dans l'intimité de cet espace de sable et de poussière qui s'est tissé avec une telle rapidité en plein cœur de la chambre d'Émilie.

- Je sais ce qui va se passer... s'écrie-t-elle brusquement au-dedans de moi comme si son interlocutrice ne pouvait plus l'entendre. Oui... J'ai vu comment la Vie allait tout redistribuer entre nous.

- Entre Émilie et toi ?

- Oui... Oh, c'est si simple, si beau et si évident ! Je l'ai demandé de tout mon cœur, il y a quelque temps et je viens d'en recevoir la réponse. Maintenant, cela devient une certitude en moi...

- Peux-tu m'en dire davantage ?

- Il n'y a pas de secret... Il ne doit pas y en avoir car, je vous l'ai dit, je veux que ces quelques pas accomplis avec vous informent, enseignent et apaisent ceux qui se posent les vraies questions de la vie.

Écoutez... Lorsque le moment en sera venu, je redescendrai sur Terre. Je reprendrai un corps et ce sera celui d'un tout petit enfant que ses parents abandonneront faute de pouvoir en assumer la charge. Alors, apparaîtront à lui un autre père et une autre mère possibles. Elle, ce sera Émilie, je le sais. Elle m'adoptera. C'est en agissant ainsi que, définitivement, elle parviendra à s'apaiser. Ce sera notre solution commune ; un élan d'amour et de complicité retrouvée qui saura effacer nos cicatrices. La trame de toute cette histoire est déjà dessinée... Elle est belle, n'est-ce pas ?

Je sens mon âme sourire...

- Oui, elle est belle, Florence... Et elle est aussi d'une telle logique ! Mais que sais-tu de l'adoption, toi, pour l'avoir ainsi demandée ? Cela se passe-t-il toujours ainsi ? Est-elle invariablement l'effet d'une loi de compensation ?

Florence se rapproche de moi et j'ai la nette perception qu'avec ce mouvement qu'elle amorce, nous pénétrons dans un autre espace. Le désert d'Émilie n'existe plus, il a été balayé par une vague d'espoir, le temps des semailles d'un sourire, d'un projet, d'un pur souhait de l'âme à l'Univers, le temps aussi d'une absolue conviction de ce qui doit être.

Trois pas dans la lumière et... nous sommes de retour dans la prairie des débuts de nos rencontres, en train de marcher parmi ses herbes folles. Dans le lointain, il y a toujours les mêmes chevaux qui gambadent librement.

- L'adoption ? Oh ! il peut y avoir cent mille raisons différentes à une adoption. Il ne faut surtout pas en faire systématiquement le "rattrapage" d'une erreur d'autrefois ou le coup de gomme passé sur une vieille culpabilité. Non, non... L'amour seul et gratuit, cela existe ! Fort heureusement, nous n'agissons pas qu'avec des sortes de contentieux ou de "comptes en Cieux" en arrière de nous !

Parmi mes amis et ma famille de ce monde, nombreux sont ceux qui m'ont dit se souvenir d'un passage à travers l'adoption. En vérité, d'ailleurs, il m'a été enseigné qu'il n'existe aucun être humain qui ne l'ai jamais connue, tour à tour en tant que parent et qu'enfant.

Ce mouvement du cœur vers le cœur d'un autre, cet appel de l'âme vers la Force de Vie fait tout simplement partie de l'apprentissage de l'Amour. C'est l'une des conjugaisons évidentes du plus noble de l'Humain avec le plus universel du Divin.

Il est exact que la plupart des adoptions parlent de retrouvailles... mais des retrouvailles dans l'optique d'une aide ou d'un secours ne racontent pas nécessairement l'histoire d'une dette. Elles sont aussi l'aboutissement d'un beau défi de croissance que se lancent deux, trois ou encore un plus grand nombre d'âmes. Elles sont parfois un véritable jeu de piste qui met à l'épreuve la force du cœur en obligeant celui-ci à affirmer sa volonté et à se dépasser.

Mais, voyez-vous, au-delà de tout cela, lorsque l'on va vers un autre dont on ignore tout ou presque, c'est d'abord vers soi-même que l'on se dirige, pour faire reculer nos frontières puis pour reconnaître que celles-ci n'existent guère. C'est toujours nous que nous cherchons et appelons parfois désespérément à travers cet autre que nous voulons aimer... qu'il soit enfant à porter, à adopter ou encore adulte à apprivoiser.

- *Qui* décide de cela, Florence ? Ton explication est idyllique mais tu sais bien que les choses ne se passent pas toujours aussi simplement. Il existe des adoptions bien laborieuses et même pénibles dans le mouvement de vie qu'elles impliquent. Personnellement, je ne suis pas certain que les âmes se choisissent toujours aussi réciproquement que tu viens de me le dire...

Devant moi, Florence cesse sa marche dans l'herbe. Elle se tourne dans ma direction puis hoche la tête avec un sourire d'approbation un peu amusé.

- C'est vous qui avez raison, fait-elle. J'avoue n'avoir eu envie de vous parler que d'une belle généralité. Cet idéal-là n'est évidemment pas le lot de tout le monde. Je sais qu'il est impossible de nier l'existence de liens conflictuels entre certains parents et leur enfant adopté. Cependant, cette tension qui s'installe parfois entre les êtres ne parle pas forcément d'une vieille guerre à apaiser. Elle est souvent et simplement le témoin d'une blessure rebelle de l'enfant adopté face à la vie, une plaie qui ne résulte pas d'un passé commun avec ses nouveaux parents.

Quand on approche la compassion et qu'on veut en faire l'axe de notre existence, on peut choisir d'ouvrir ses bras à... un grand blessé de la vie qui attend quelque part, éventuellement fort loin, dans un autre pays.

Qui décide de tout cela ? Une partie de nous, bien sûr, ainsi que je vous l'ai dit... Sans omettre le fait qu'une autre partie de notre être est aussi, dans certains cas... bien obligée de l'accepter.

- En raison de ce que l'on appelle l'Ordre Divin ?

J'ai à peine formulé ma question que Florence plonge ses yeux au plus profond des miens. Son regard est troublant, presque pareil à celui d'un petit enfant, à la fois doux, perçant, plein d'ingénuité et aussi transparent que le ciel.

- Vous voulez dire "Dieu" ? Oh ! cela dépend de ce que vous entendez par ce mot-là... Vous savez, dans les mondes que j'ai atteints jusqu'à présent, on ne l'emploie guère.

- On ne croit pas en Ce qu'il évoque ?

- Ce n'est pas cela... Au contraire... On n'a pas besoin d'y croire. On sait... ou, plutôt, on connaît de l'intérieur toute l'Intelligence d'amour et d'équité, d'équilibre et de compassion que génère l'océan matriciel dans lequel nous baignons... et auquel il nous est demandé d'apporter notre part.

Oui, *chez moi* on croit au Divin mais vraiment pas comme sur Terre. On sait qu'on participe à Sa Force, qu'on alimente celle-ci, qu'on la construit et surtout qu'elle n'est absolument pas extérieure à nous.

Depuis ce qu'on appelle le Commencement des Temps, nous avons semé, semé, semé dans l'"Invisible" à n'en plus finir, tant et si bien que, par ces semailles, nous avons inventé nous-mêmes l'ordre des mondes dans lesquels nous vivons. Nous sommes, en réalité, devenus les inventeurs ultimes des lois par lesquelles nous souffrons, nous aimons et, heureusement, par lesquelles nous apprenons enfin à grandir.

Alors, c'est à travers la compréhension de tout cela que se fait pour nous l'approche de la vraie vérité du Divin... Il ne nous arrive rien, m'entendez-vous, *rien*, sans que nous ne soyons à sa toute première origine et aussi sans une raison... ascensionnelle.

Florence, qui ne m'a toujours pas quitté des yeux, élargit maintenant son sourire. En la contemplant ainsi, j'ai la très nette certitude de me trouver face à une âme qui a bouclé une boucle en elle. Elle a trouvé une forme de complétude ; elle est prête à entamer un autre bout de chemin, ailleurs, autrement et, surtout, elle a franchi le mur de ses peurs puis de ses révoltes.

Vous me suivez quelques instants de plus ? ajoute-t-elle. Je voudrais *la* revoir une fois encore…

Je sais ce qui va se passer… la prairie de Florence avec ses herbes folles, son ruisseau et ses chevaux caracolants va peu à peu perdre de sa consistance. Elle va se fondre dans la lumière alors que, de cette même lumière, émergera une autre réalité, celle d'un petit meublé, quelque part sur Terre.

N'est-il pas étrange de constater à quel point tout cohabite et s'entrecroise ? C'est exactement comme si la lune, le soleil, la terre, l'eau, le feu, l'air… et le mystérieux éther formaient une seule et même chose. Entre la nuit et le jour, l'état de rêve et celui de veille, entre l'espace d'une réalité et la dimension d'une autre, il n'existe rien d'autre qu'un léger écart de conscience. Si léger… qu'il nous faudra bien finir par le franchir, en toute lucidité et acceptation.

Voilà, la métamorphose s'est opérée une fois de plus. En douceur, nous avons glissé d'une fréquence vers une autre. La chambre d'Émilie est à nouveau là, dans la pénombre, tout autour de nous. Sous la couette, la silhouette de la jeune femme s'est détendue. Sans doute vient-elle de quitter "son" désert en emportant derrière ses yeux le sourire de la paix de Florence.

Je ne sais si celui-ci la suivra longtemps dans le souvenir d'un rêve… mais il l'accompagnera certainement au fond d'elle-même, lui offrant en secret sa consolation.

- Tu vois, me dit Florence qui, pour la première fois, se permet le tutoiement… Tu vois, en la découvrant ainsi comme une petite sœur endormie, je n'ai plus envie que

d'une chose... J'ai envie que le temps passe, défile, courre et courre encore et que vienne enfin le jour où, avec
celui qu'elle aimera, elle me redécouvrira quelque part,
sur le banc d'un orphelinat... ou dans un dispensaire de
village... en Asie, en Afrique ou bien ailleurs.

Ce sera simple et beau, n'est-ce pas ? Oh oui ! Ce sera
beau parce que, ce jour-là, toutes deux, nous serons vraiment *les* désirées.


*Florence et moi, nous nous sommes laissés là, dans
une tendre accolade de l'âme. Je ne l'ai plus revue depuis. Je sais qu'elle continue son histoire dans son univers et qu'elle y a fort à faire. Je sais aussi qu'Émilie se
porte bien, qu'elle a repris sa vie d'étudiante et qu'elle
essaie de comprendre au mieux le sens de ce que sa vie
lui propose.*

*Lorsque mon corps de lumière a quitté sa chambre, le
son étouffé d'un téléviseur passait à travers les murs. C'é-
tait celui du voisin. Du bout de sa télécommande, celui-ci
ne cessait de voyager d'un canal à l'autre, d'un monde à
l'autre, ignorant que je venais de vivre cela d'une autre
façon... du bout de l'âme.*

# Des questions et des réponses

## Que penser des naissances par le siège ?

Dans la quasi généralité des cas, une naissance par le siège exprime la résistance ou l'appréhension qu'éprouve l'âme face à son incarnation. Il s'agit, en fait, d'un demi-tour intérieur ou d'une marche arrière que la conscience imprime au corps. Ce dernier se présente donc tout naturellement "à reculons", puisque la sortie du ventre de la mère est vécue comme le début d'une insécurité.

Celui qui s'apprête à naître, il faut le savoir, n'est pas encore totalement privé de sa mémoire antérieure. Même si celle-ci commence à s'embrumer et se trouve de plus en plus envahie par des éléments provenant du monde dans lequel elle va plonger, elle n'est pas embryonnaire ni anesthésiée au moment de l'accouchement ni dans les jours qui précèdent celui-ci. Le futur nouveau-né porte encore en lui les images de ce qu'il a été et, éventuellement, de ce qu'il redoute. C'est donc un être à part entière qui vient au monde, c'est-à-dire qui sait ce dont il veut et ce dont il ne veut pas.

Dans la plupart des cas, cette conscience régresse rapidement dès la sortie de l'utérus et va se réfugier dans les profondeurs de l'être. Le corps, quant à lui, exprimera jusqu'au bout l'attitude première de l'âme face à la vie.

Mais attention, il faut surtout se garder des conclusions trop hâtives en s'imaginant qu'un enfant qui se présente par le siège est doté d'un lourd bagage karmique... du fait que son expression première est celle d'une crainte. Ce serait s'engager là dans une réflexion trop schématique. Les stéréotypes pourraient nous amener à développer des idées erronées que nous projetterions, à notre insu, sur l'enfant lui-même.

Du reste, la crainte de naître ne signifie pas nécessairement le refus de vivre dans notre monde. Elle peut ne traduire que l'appréhension du passage de la naissance. Il faut bien établir une distinction entre le venue au monde et la vie dans celui-ci, exactement de la même façon que l'on peut craindre l'instant de la mort - puisque l'on en ignore les conditions - sans avoir peur de la mort elle-même.

À l'image des couleurs de l'arc-en-ciel, il y a des âmes nécessairement plus timorées, plus réservées ou, au contraire, plus enthousiastes et plus combatives que d'autres. Cela seul peut suffire à induire un comportement à l'heure de la naissance sans qu'il soit besoin de faire automatiquement référence à une caractéristique résultant du passé.

Ceci dit, il ne faut pas oublier qu'un être qui vient au monde hérite d'un bagage génétique qui va imprimer en lui certains comportements réflexes ne traduisant pas forcément la nature de ce qui l'habite en réalité.

*Ainsi, une naissance "à reculons" peut juste exprimer certains aspects de la fragilité de la famille qui l'accueille. Sa difficulté de s'affirmer, de prendre des décisions ou encore son manque de dynamisme, par exemple.*

*Évidemment, on ne naît pas par hasard dans une famille. Le bagage génétique que celle-ci nous propose répond alors aux nécessités karmiques qui sont les nôtres... mais sans qu'il soit toutefois besoin de se pencher obligatoirement sur lui. Apprendre à vivre sans chercher à tout décortiquer dans notre vie est aussi une sagesse.*

**Une naissance par césarienne laisse-t-elle des traces sur la conscience du nouveau-né ? Comment est-elle vécue par lui de l'intérieur ?**

*Une césarienne laisse évidemment des traces dans la conscience d'un être qui vient au monde puisque rien de ce qui est vécu ne s'oublie. Chacun s'accordera à dire qu'une telle naissance n'est pas idéale puisqu'elle est chirurgicale, cependant il ne faut pas s'imaginer qu'une césarienne représente toujours pour le bébé un traumatisme digne de ce nom.*

*Lorsqu'une mise au monde s'annonce délicate, difficile ou dangereuse, on parle obligatoirement de souffrance, de douleur ou de peur de celles-ci. Ce sont là, en général, de plus grands traumatismes que la césarienne elle-même. Lorsqu'une césarienne s'impose, il est de toute façon impossible de la discuter. Le meilleur moyen de diminuer le stress du bébé qui ne naît pas par la voie naturelle est de s'adresser à lui avec des mots d'adultes afin de lui expliquer le pourquoi de la situation tout en lui souhaitant la bienvenue. Le fait d'être ainsi pris en comp-*

te dans le processus de l'intervention facilitera grandement son acceptation des circonstances.

Qu'il me soit cependant permis ici de "tirer la sonnette d'alarme" face à une école de pensée qui a tendance à faire de plus en plus d'émules parmi le corps médical de certains pays modernisés. Cette école de pensée cherche à persuader un nombre croissant de parents que la césarienne serait presque d'emblée le meilleur moyen pour accoucher, puisqu'elle est parfaitement maîtrisée, que l'on évitera d'éventuelles douleurs et qu'ainsi on contrôlera mieux le moment de la naissance... pour le confort de tous. Il n'est pas besoin d'épiloguer, je crois, sur l'aberration d'une telle attitude qui méprise les lois du corps et la complicité unissant la mère et son enfant dans le choix intérieur du moment de la naissance, au profit évident de considérations techniques et financières.

**Pourquoi arrive-t-il qu'une âme tente de s'incarner à travers un corps qui est, en principe, radicalement fermé à la procréation ou qui veut se soustraire à celle-ci ? (ligature ou stérilet)**

Ainsi que je l'ai déjà exprimé, il y a des âmes infiniment plus volontaires que d'autres et qui, pour des raisons qui leur appartiennent, souhaitent absolument une famille plutôt qu'une autre. C'est par l'exercice de leur volonté qu'elles parviennent parfois à "forcer les portes" d'une matrice pour essayer de s'y installer.

Il faut bien comprendre que toute matière est perméable à l'énergie psychique et que le subtil préexiste au dense. Ainsi, un désir, une pensée et une volonté soutenus peuvent-ils téléguider la rencontre de deux cellules jus-

166

qu'à générer la vie dans des circonstances réputées im-probables ou même impossibles. La biologie du subtil peut aisément supplanter celle du dense...

Lorsqu'une femme se trouve enceinte dans des cir-constances médicalement illogiques, sa première question devrait aller dans le sens d'une tentative de compréhen-sion de ce que cela signifie. N'y a-t-il pas de bonnes et solides raisons pour qu'un être veuille absolument passer par elle dans les conditions particulières où elle se trou-ve ? Si la force de Vie insiste à ce point, ne serait-ce pas parce qu'elle cherche à lui dire quelque chose ? Si un être l'appelle ainsi pour être sa mère, qu'a-t-elle à com-prendre ? Quelle que soit sa réponse et sa décision de femme, une vraie réflexion, lucide et sans tricherie, de-vrait s'imposer.

**Lorsqu'une grossesse vient à être interrompue et quelles qu'en soient les raisons, il arrive que l'homme soit plus affecté que la femme par ce rendez-vous man-qué ou refusé. Comment comprendre cela ?**

Lorsqu'il est question d'une grossesse, on parle tou-jours davantage du rôle de la mère que de celui du père. À un premier niveau, c'est logique puisque la femme construit et porte avec sa chair le corps de l'enfant.

Ce faisant, on limite presque ainsi le rôle de l'homme à l'acte de procréation, ignorant souvent la place qu'il peut occuper auprès de l'être qui vient. En effet, lorsqu'il s'agit de liens profonds, c'est davantage le monde de l'âme qui est concerné plus que celui du corps de chair.

Lorsque l'on prend conscience de cela, on peut com-prendre qu'il peut y avoir une complicité plus importante *d'âme à âme entre un père potentiel et un fœtus qu'entre une mère en devenir et l'être qu'elle porte.*

*Notre éducation nous pousse à croire que les liens du sang - et, à plus forte raison, ceux qui unissent un bébé à sa mère - sont toujours plus puissants que tous les autres. C'est exact dans une multitude de cas, évidemment, mais en faire une vérité absolue équivaut à ne pas tenir compte de la pré-existence de l'âme par rapport au corps. C'est oublier que cette âme a une histoire qui lui appartient.*

*Lorsqu'on réalise ce que cela signifie vraiment, c'est-à-dire pas seulement en tant que principe philosophique séduisant, on peut aisément comprendre qu'un père puisse parfois être plus attaché à l'attente d'un enfant que la femme qui porte celui-ci.*

*Les âmes qui se rapprochent ont conscience de leur rapprochement avant même que leurs retrouvailles ne se soient concrétisées... et même si celles-ci ne parviennent pas à aboutir. Dans ce dernier cas, il est logique que la sensation de "rendez-vous manqué" puisse éventuellement affecter davantage l'homme que la femme.*

*Pour mieux comprendre les liens qui unissent un être en devenir à son père, rappelons maintenant ceci : c'est l'homme qui, dans l'acte d'amour et par l'intermédiaire du liquide séminal, va communiquer à l'ovule, dès le premier instant, la continuité de la mémoire, donc l'identité, de celui qui va s'incarner. Le bagage karmique d'une âme qui vient pour la première fois s'attacher à ce qui deviendra un corps humain passe, de ce fait, par le canal masculin lors de la procréation : cette charge énergétique, qui est une totale mémoire subtile, va se loger dans le germe du futur cœur. Elle résidera dans son ventricule gauche pour ne le quitter qu'au moment de la mort. C'est cette mémoire profonde de l'être qui voyage de vie en vie que l'on appelle traditionnellement l'atome-germe.[1]*

*D'autre part, et pour conclure, une idée reçue nous amène à penser que, dans un couple, la femme est plus sensible que l'homme. C'est loin d'être toujours le cas. Il serait sans doute temps, d'ailleurs, que la sensibilité d'une âme ou d'un cœur ne soit plus considérée comme une faiblesse morale mais comme une particularité, voire aussi une qualité permettant l'expression de divers états de conscience et facilitant la perméabilité entre les mondes.*

**Pourquoi certaines âmes décident-elles de s'incarner dans le ventre d'une femme atteinte d'un cancer ou d'une autre maladie grave... surtout si cette maladie est déjà à un stade avancé ?**

*Il faut tout d'abord savoir que ce n'est pas toujours l'âme qui décide elle-même des conditions de son incarnation ou de sa tentative d'incarnation. Loin s'en faut. Pour qu'un être soit en mesure de décider de cela, il est nécessaire qu'il ait déjà une certaine maturité de conscience. Une âme qui n'est pas suffisamment adulte, c'est-à-dire qui n'est pas encore capable de poser un regard vraiment lucide sur elle-même, sur ses capacités et ses manques, est nécessairement "aiguillée" dans une direction plutôt qu'une autre par ses guides lorsque vient*

---

[1] Voir *Les Maladies Karmiques*, page 54, de D. Meurois-Givaudan (Éd. Le Perséa) et *Les Neuf Marches* de D. Meurois et A. Givaudan (Éd. S.O.I.S.)

*l'heure de son retour dans une enveloppe de chair. Les guides en question jouent à ce propos le rôle des parents.*

*Regardons simplement ce qui se passe dans notre monde : va-t-on laisser un petit enfant prendre seul des décisions importantes pour son avenir ? Est-ce lui, par exemple, qui décidera du lieu de résidence de sa famille, de l'école qu'il va fréquenter ? Non, bien évidemment. Ses parents décideront de cela à sa place du mieux possible, de même qu'ils lui prendront la main pour lui faire traverser la rue puisque son éveil n'est pas encore suffisant et sa vigilance pas assez exercée pour vivre l'autonomie. Notre liberté se développe à mesure de notre croissance.*

*Analogiquement, c'est le même processus qui se met en œuvre pour le choix d'une vie. Plus une âme est mature, plus la latitude dont elle dispose est vaste.*

*Ceci dit, il ne faudrait pas en conclure que tous ceux qui essaient de se réincarner dans les conditions de maladie évoquées précédemment soient d'emblée des âmes jeunes et donc peu autonomes. Ce serait simpliste et ne pas tenir compte du fait qu'une conscience adulte est capable d'opter en toute connaissance de cause pour une tentative d'incarnation dans des circonstances très difficiles.*

*Qu'est-ce qui peut motiver un tel choix ? Tout simplement l'histoire secrète qui unit les âmes ainsi mises en présence, même si celles-ci ne font que se croiser l'espace de quelques semaines ou de quelques mois. Cette histoire profonde peut avoir pour moteur l'apprentissage d'un niveau supérieur de compassion ou, par exemple, d'une forme élevée de lâcher-prise.*

*Il s'agit très rarement d'un mécanisme d'auto-punition engendré par les âmes concernées, même si l'on ne peut nier cette éventualité. Dans ce dernier cas, il sera simplement question d'un bagage karmique commun en voie d'élimination, douloureuse, certes, mais dont le but ultime sera de faire exécuter un pas de plus à la conscience.*

*Je réalise parfaitement qu'il est aisé d'évoquer de tels concepts métaphysiques tandis qu'il est évidemment beaucoup plus difficile de les accepter et d'en comprendre le sens profond lorsque l'on se trouve soi-même face à l'épreuve.*

*Aucun argument, aussi raisonnable soit-il, ne parvient à gommer une vraie souffrance. Néanmoins, je suis persuadé qu'une tentative d'explication et de compréhension peut amorcer l'allégement d'un fardeau épuisant parce que révoltant selon notre logique d'hommes et de femmes incarnés.*

*D'autre part, il est certain que lorsqu'une épreuve à passer est décidée par nous ou ceux qui nous guident sur l'autre versant de la vie, celle-ci nous paraît généralement beaucoup moins lourde que lorsque nous sommes concrètement placés face à elle. Le fait de revêtir un corps de chair nous fait perdre de la hauteur de vue et oublier les raisons profondes de la particularité de notre chemin.*

*Une chose est pourtant absolument certaine : ces raisons ont pour seul objectif une plus grande pacification de notre être essentiel. Le Divin en expansion à travers nous, d'existence en existence, travaille à Sa floraison sans que notre perception du temps qui passe ait la moindre prise sur Lui. Il sait où Il veut nous mener et Il y parvient à Son rythme, souvent à travers les plus incroyables méandres.*

*Pourquoi certains bébés naissent-ils atteints par une maladie du système immunitaire (par exemple une surproduction de lymphocytes) les plaçant dans des conditions de souffrance et de rejet de leur propre corps difficilement acceptables ? Faut-il les voir comme des victimes de notre système hospitalier et de notre société ?*

*Les causes premières de telles naissances sont à rapprocher de celles qui ont été exposées en réponse à la question précédente. Cependant, la vraie question qu'il convient de formuler ici concerne le pourquoi de ce type précis de maladie, apparemment de plus en plus fréquent et incompréhensible dans notre société.*

*Les conditions généralement déplorables de notre environnement et de notre alimentation sont les moteurs essentiels de ces obstacles à la vie dans un corps naissant. Le problème a déjà été soulevé dans cet ouvrage mais il mérite d'être à nouveau abordé tant son ampleur fait des ravages... dont nombre d'entre nous ont encore trop peu conscience.*

*Que penser de la gestion d'un monde au sein duquel il est pratiquement impossible de trouver une eau parfaitement pure et équilibrée et où la toxicité de l'air qu'on y respire n'est plus même à discuter ? Que penser d'une industrie agro-alimentaire qui manipule les pesticides, les additifs... et maintenant les gènes sans la moindre vergogne et avec une indécente hypocrisie ? Que penser d'une conception de la cuisine qui ressemble de plus en plus à un travail de laboratoire de chimie et, enfin, de nouvelles habitudes de cuisson (micro-ondes) qui tuent la vie de l'aliment tout en le rendant toxique ?*

*Tout simplement que cela tient de l'inconscience et du suicide de toute une société prise dans une course au temps et surtout au profit.*

*Dans le cas qui nous préoccupe ici, et quels que soient les moteurs karmiques qui interviennent, je n'hésiterai donc pas à parler des nouveaux-nés concernés en tant que "victimes" de notre société. Victimes aussi d'un système hospitalier qui s'acharne trop souvent à expérimenter de nouvelles méthodes et de nouveaux produits aux effets cruels sans se soucier d'attaquer le véritable problème à sa base : celui de notre hygiène de vie. Nous avons fait de notre approche de la santé une lutte constante contre la maladie au lieu d'une préservation systématique, logique et naturelle de notre équilibre physiologique et spirituel.*

*Il est évident que les nouveaux-nés qui sont aux prises avec une grave maladie du système immunitaire nous pointent du doigt. Ils sont les premiers témoins de nos aberrations. Une maladie ou un déséquilibre ne naissent pas de "rien", nous en fabriquons les éléments puis nous les transmettons. Si aujourd'hui nous ne comprenons pas le signal d'alarme que nous adressent les tout petits enfants ainsi atteints, c'est que le sommeil de notre conscience est décidément bien profond !*

**Au niveau de l'anatomie subtile, le corps garde-t-il des traces profondes d'un avortement ou d'une fausse-couche ?**

*On ne dira jamais assez à quel point un corps est une mémoire. Tout ce dont il est témoin et tout ce qu'il vit*

173

*s'inscrit en lui, même si les informations emmagasinées vont souvent et rapidement s'inscrire en arrière-plan de sa vie. L'oubli n'est jamais qu'apparent. Mais si toutes les zones du corps se souviennent ainsi de leur propre histoire, c'est justement parce qu'elles sont dotées d'une contrepartie subtile, énergétique. C'est elle, en réalité, qui mémorise et conserve le "moule" d'une éventuelle blessure.*

*Le tout est maintenant de savoir si un avortement ou une fausse-couche sont à mettre au rang des blessures. Répondre par un oui ou par un non serait trop simpliste. Tout dépend, on s'en doute, des circonstances et des conditions de l'événement en question.*

*Établissons tout d'abord une différence entre l'avortement et la fausse-couche puisque, dans le premier cas, il s'agit d'un acte volontaire alors que, dans le deuxième, il est question d'un fait subi.*

*Il n'est pas difficile de concevoir que l'avortement est une violence faite au corps. Qui dit violence dit forcément empreinte ou cicatrice. Si celles-ci ne transparaissent pas sur le corps physique en raison d'une technicité médicale correcte, il n'en est pas de même au niveau du relais énergétique que constitue le corps éthérique et de l'ensemble de nos réalités plus subtiles encore auxquelles on donne globalement le nom d'âme.*

*Le corps éthérique de la femme peut, bien sûr, être affecté dans l'organisation de son réseau de nadis.*

*Quant à l'âme, même si celle-ci est caparaçonnée dans sa manifestation incarnée, c'est-à-dire au niveau de la personnalité, elle est nécessairement touchée dans sa dimension émotionnelle ou astrale.*

174

*La profondeur des empreintes ou des blessures dé-
pendent, on s'en doute, de l'histoire de chacun et des circonstances dans lesquelles tout a été décidé et vécu.*

*Il faut bien comprendre que la pacification et la flui-
dification que réclament nos contre-parties subtiles ne
sont pas affaire d'oubli mais de dépassement. Certains
préféreront le terme de transcendance. Il n'est pas question de gommer ce qui a été écrit en nous, par nous, sur
nous et sur autrui, mais d'en comprendre le sens, l'enseignement puis de prendre enfin de l'altitude par rapport
à tout cela. Rien ne doit jamais être vécu comme irrépa-
rable ou dramatique... et rien ne devrait non plus être
vécu comme anodin.*

*Il serait aberrant de placer l'avortement au rang des
méthodes de contraception, ainsi que cela se fait dans un
certain pays de l'Est où il est courant qu'une femme en
ait connu sept ou huit dans sa vie.*

*Pour en venir maintenant aux fausses-couches, il est
certain et logique que la mémoire qui en restera au niveau de nos dimensions subtiles est infiniment moindre et
qu'elle se dépasse donc beaucoup plus aisément puisqu'elle ne met pas en jeu les mêmes forces. On parlera
alors simplement d'empreinte et non pas de cicatrice.*

**Que penser des naissances avant terme dans des
conditions médicales telles que celles-ci font penser à un
acharnement de la technologie ?**

*Mon avis personnel est qu'il s'agit réellement
d'acharnement. La survie de certains prématurés - on en
"sauve" actuellement à vingt semaines - devient alors
comparable à un défi technique de la part d'une équipe*

175

*médicale[1]. Le "Il faut qu'on réussisse à le faire vivre",
tient ici davantage de l'exploit que du bon sens. À vouloir
de plus en plus supplanter la Nature ou, si l'on préfère,
l'ordre Divin, dans ses "mises en scène" et ses décisions,
on peut facilement en arriver à des non-sens, à un non-
respect et à un mépris de ce qui doit être. Il ne s'agit pas
d'aller à l'encontre des vrais et indéniables progrès médicaux mais de faire intervenir un bon sens élémentaire
dans certains processus hospitaliers.*

*La mort n'est certainement pas à considérer comme
une défaite de la vie. Elle est une transformation, un aspect de celle-ci. Ce qui me semble capital, c'est que la
métamorphose qu'elle implique soit impérativement ac-
compagnée de compréhension et de cette qualité d'amour
que l'on appelle compassion.*

*Si, dans un premier temps, la technologie médicale
peut se flatter de faire survivre de très très jeunes prématurés, ses défenseurs devraient honnêtement se poser la
question de savoir quelles seront les carences parfois irré-
versibles de ceux qui auront été les sujets de l'expérience[2]. J'ai personnellement suffisamment fréquenté le
monde médical jusqu'à présent pour savoir que les statistiques sont de plus en plus loin de rendre compte de ce
qui est vécu sur le terrain. Les statistiques, on le sait,*

---

[1] *À vingt semaines, l'enfant tient dans une main de femme. Ses
poumons sont à peine formés et il est donc intubé. Certains chercheurs
ont l'intention de parvenir à un seuil de dix semaines...*

[2] *La plupart des enfants "sauvés" autour des vingt semaines souffrent de séquelles durant toute leur vie - séquelles pulmonaires, entre
autres - et risquent la cécité.*

sont souvent assujetties à des obtentions de subventions... et commandées par certains laboratoires.

### Que peut-on penser du clonage humain ?

À en croire la démarche des généticiens qui étudient le clonage depuis bon nombre d'années, tout ce qui vit, y compris l'être humain, n'est finalement qu'une mécanique ultra-perfectionnée. Il est évident qu'avec la démarche qui est mienne et les très concrètes expériences que j'ai vécues depuis maintenant plus de trente ans, je ne puis souscrire à une telle conception des choses.

Le clonage sous-entend que la notion d'âme est une simple fantaisie puisque l'on peut parvenir à dupliquer un organisme à partir de ce qu'on appelle, en simplifiant à l'extrême, une cellule-souche de celui-ci.

Il est clair qu'en tant que témoin d'une autre facette de notre univers, il est pour moi absurde de limiter la vie à ce que nous en voyons ou à ce que nous pouvons en mesurer. Tout organisme et, à plus forte raison, celui de l'être humain, n'existe que parce qu'il est soutenu et dirigé par un principe qu'on appelle âme. Mon affirmation n'est pas issue de l'adhésion à un point de vue philosophique mais résulte d'une expérimentation directe débouchant sur une perception et une compréhension du sacré de la vie.

Partant de cette vision des choses, ou plutôt de cette certitude, il devient alors inconcevable de jouer n'importe comment avec les rouages les plus intimes de l'organisation d'un corps physique... c'est-à-dire comme si ce corps n'était relié à rien.

En fait, l'une des premières questions qui devraient être posées est la suivante : d'où vient l'âme que, d'une certaine façon, on force à se greffer sur un corps fabriqué de toutes pièces avec des caractéristiques génétiques bien précises et correspondant à des besoins spécifiques ?

Notez bien que je ne parle pas au futur mais au présent.

En effet, j'ai la profonde certitude que les recherches en matière de clonage humain sont infiniment plus avancées qu'on ne le déclare. On attend simplement que l'idée s'en banalise en niveau de l'opinion publique pour déclarer officiellement qu'elle est devenue réalité.

Le but avoué est, bien évidemment, strictement humanitaire, c'est-à-dire devant participer à notre santé, à notre équilibre et donc à notre bonheur.

Cependant, selon des sources très précises auxquelles j'ai eu accès, le but ultime est tout autre. Il s'agit de créer sur mesure des hommes et des femmes spécialisés dans certains domaines, programmés pour exécuter des tâches précises, sans se poser trop de questions, par conséquent avec une conscience amoindrie et des capacités physiques ciblées.

Ne sera-t-il pas plus facile de gouverner une humanité dont les composants n'auront pas la capacité psychique ou corporelle de faire valoir leur libre arbitre puis de se rebeller éventuellement ? Certains de ceux qui gouvernent notre monde rêvent déjà depuis longtemps d'une armée faite de guerriers "parfaits" et d'une foule d'individus exécutant les besognes les plus routinières ou les plus ingrates sans rechigner. La visée ultime et idéale de ces dirigeants se résume finalement à créer une toute petite élite régnant sur une masse asservie et incapable de réagir.

178

*On m'accusera, bien sûr, d'entrer dans un délire digne de la science-fiction. Je crains cependant qu'un avenir pas si lointain ne me donne raison si nous ne savons pas réagir à temps. Notre vie d'aujourd'hui n'est faite que de concepts et d'instruments technologiques qui, hier encore, tenaient de la pure fantaisie littéraire. Réfléchissons-y…*

*Un nombre sans cesse croissant de choses échappent d'ores et déjà aux populations de notre globe. Il suffit de s'appliquer à connecter les informations entre elles et de les observer avec un peu de bon sens pour s'en rendre compte.*

*L'A.D.N., le cerveau, le système nerveux et le système endocrinien sont des relais entre le subtil et le dense. À partir de l'instant où on les manipule sans la moindre éthique ni conscience digne de ce nom, on place inévitablement un obstacle entre l'âme et le corps, on opacifie leurs contacts, on mêle leurs liens, on les cloisonne dans leurs mondes respectifs. Nous sommes donc bien là en présence d'une véritable tentative d'étouffement de la conscience à des fins de domination.*

*Que l'on ne s'imagine pas que je m'oppose en cela à la recherche en génétique. Je suis au contraire persuadé qu'il est du devoir de l'être humain de prolonger l'expansion de la Vie et d'améliorer ses manifestations. Mon avis est seulement qu'une telle tâche demande du cœur, de l'âme, et donc un haut sens des responsabilités.*

*Le Divin accepte et demande que nous participions à Sa Création mais certainement pas n'importe comment. Le Sacré n'est pas une chimère. Nul ne pourra éternellement refuser de le considérer et de boire à Sa source sans finir par se dessécher lui-même.*

*Petite méthode pour les rendez-vous de l'âme.*

*Au plus profond de votre cœur, il vous appartient d'abord de donner un nom à votre âme ; choisissez celui que vous aimeriez porter ou celui que vous sentez être le vôtre dans le plus secret de vous-même. Gardez ce nom pour vous, ne le communiquez à personne, il est la clé de votre jardin intérieur.*

*Chaque soir, avant de vous endormir, en toute conscience, avec volonté et tendresse, appelez votre âme par son nom. Demandez-lui d'aller rejoindre pendant votre sommeil l'âme de l'être à qui vous souhaitez vous adresser et chargez-la d'un court message à lui délivrer. Que vos phrases soient courtes, précises, aimantes et confiantes. Répétez-les trois ou quatre fois avec intensité.*

*C'est ainsi que "quelque chose" de vous fera le Voyage durant la nuit, délivrera son message… et en recevra peut-être un en retour.*

# Table des matières

# Daniel Meurois-Givaudan

## LES MALADIES KARMIQUES
### *Les reconnaître, les comprendre, les dépasser*

Après plus de 25 années d'expérience en lecture d'aura et des milliers de cas étudiés, Daniel Meurois-Givaudan nous fait part, pour la première fois aujourd'hui, de ses découvertes dans un domaine totalement méconnu, celui des maladies karmiques.

À l'aide de nombreux exemples, de façon imagée et éloquente, il nous fait ainsi pénétrer dans une compréhension différente du fonctionnement de l'être humain.

En effet, un certain nombre de maladies, de symptômes physiques ou même de troubles du comportement sont mal cernés, voire tout à fait incompris par les approches dites classiques de la santé. Qui n'a jamais entendu parler d'asthmes récalcitrants, de maladies de peau interminables, de dysfonctionnements étranges voyageant d'un organe à l'autre ou encore de peurs inexplicables ?

L'approche non conventionnelle de la question par Daniel Meurois-Givaudan, qui fait appel à des mémoires résultant d'existences antérieures, pourrait bien fournir d'importants éléments de réponse…

Ce sont précisément de tels éléments que nous propose cet ouvrage riche en informations et conçu pour s'adresser à tous.

En nous faisant partager sa vision différente de certaines maladies ou de certains déséquilibres, l'auteur nous aide ainsi à mieux pénétrer les mystères du fonctionnement humain dans leurs rouages les moins explorés.

La détection, puis la compréhension des troubles d'origine karmique deviennent alors, souvent, des points de départ pour une réelle croissance intérieure, des éléments déterminants pour soigner l'âme et le corps.

# Daniel Meurois-Givaudan

## LOUIS DU DÉSERT
### *Le destin secret de Saint Louis*

Saint Louis... Dès que l'on évoque le Moyen Âge avec ses élans de foi et sa noblesse d'âme, il n'y a certainement pas de figure plus emblématique que la sienne. Au-delà du roi de France respecté dans toute l'Europe médiévale, on connaît, bien sûr, le combattant valeureux, le sage, le juriste, le mystique aussi. On pense avoir tout découvert de sa personnalité et de son règne. On croit avoir tout dit.

Et pourtant... Il restait un secret, énorme, une facette du personnage, un pan complet de la vie du souverain que l'Histoire officielle n'a jamais pu révéler.

Par un de ces concours de circonstances que la vie s'ingénie parfois à créer, Daniel Meurois-Givaudan, que l'on connaît pour ses recherches dans les Annales Akashiques, s'est trouvé face à cette énigme à déchiffrer.

Plongeant ainsi dans la *Mémoire du Temps,* l'auteur a eu la possibilité d'investiguer le passé afin d'en ramener un portrait différent du "bon roi Louis", et surtout son destin insoupçonné, en marge des textes officiels.

Ce livre n'est donc, ni le fruit d'une recherche historique, ni un roman, même s'il peut tout à fait se lire comme tel. C'est le témoignage vivant d'une expérience hors du commun, le voyage d'une âme dans le temps.

À l'aube d'un troisième millénaire en quête de nouvelles valeurs, on ne peut croire que ce soit le hasard qui ait permis à cette vie de Saint Louis d'être ressuscitée, car elle est porteuse de Souffle.

La réflexion et l'enseignement que le récit fascinant de "Louis du Désert" nous offre sont certainement de ceux, sans âge, qui nous aideront à mieux découvrir qui nous sommes et vers quoi nous sommes appelés.

# Daniel Meurois-Givaudan

## LOUIS DU DÉSERT
### *Le destin secret de Saint Louis, Tome II*

Avec ce deuxième volume consacré au destin secret de Saint Louis, c'est à un tout autre voyage dans le Temps que nous invite Daniel Meurois... Voici l'histoire profonde, véridique et jusqu'ici tenue cachée de ce que fut la vie du plus emblématique des rois de France au lendemain de sa mort officielle en 1270.

Du désert d'Égypte à Damas, en passant par Jérusalem et les bords de la Mer Morte, nous suivons l'itinéraire de celui qui vécut comme un pèlerin de l'Absolu. Par ses yeux, et à travers les décors de l'Islam médiéval, nous nous déplaçons le long des couloirs de l'âme humaine, telle qu'elle s'est toujours cherchée, telle qu'elle est.

Pourquoi ressusciter le passé ? « Parce que le voyage intérieur accompli par Saint Louis, affirme l'auteur, est en réalité celui de tous ceux qui se posent les vraies questions. C'est la recherche d'un déconditionnement total, d'une vérité sans dogme, d'une identité sans fard et d'un horizon infini. Le mystère de l'Histoire devient alors un prétexte pour nous parler de nous, aujourd'hui, et des ultimes mensonges qu'il nous faut dépasser ».

Troublant et captivant, ce récit porte sans doute à son point culminant la vaste quête de Lumière à travers laquelle Daniel Meurois nous entraîne depuis déjà plus de vingt ans.

# Daniel Meurois-Givaudan

## L'ÉVANGILE DE MARIE-MADELEINE
### *… selon le Livre du Temps*

Et si l'éveil de la conscience passait aujourd'hui par une sensibilité plus féminine ? Et si Marie-Madeleine n'avait pas été la pécheresse repentie des textes officiels, mais bien autre chose… ?

Jusqu'à il y a peu de temps encore, le grand public ignorait totalement que celle qui apparaît de plus en plus comme la première disciple du Christ avait inspiré un évangile. Pour intriguant et fascinant que soit le manuscrit portant son nom et qui fut découvert à la fin du XIXᵉ siècle, celui-ci n'en demeurait pas moins incomplet, car amputé d'une bonne partie de ses pages. Il restait, par conséquent, un fossé à combler et, pour cela, il fallait remonter un peu plus à la source…

Depuis de nombreuses années, on connaît Daniel Meurois-Givaudan pour ses écrits concernant la pensée essénienne et celle des origines du Christianisme. Loin de l'exégèse, sa méthode de travail a toujours fasciné. En effet, elle se base sur la lecture des Annales akashiques. C'est en utilisant cette capacité que l'auteur s'est donc, une nouvelle fois, immergé dans la Mémoire du Temps afin de nous restituer de manière audacieuse une version intégrale et originelle de l'Évangile de Marie-Madeleine.

Cette version, qui constitue le cœur du présent livre, se devait cependant d'être éclairée, commentée et revitalisée.

Voilà pourquoi, tout en nous permettant de plonger dans la vie et l'ambiance des débuts de notre ère, Daniel Meurois-Givaudan entreprend de nous fournir ici une compréhension novatrice et aisée d'un texte majeur.

Résolument actuelle, son approche est ainsi susceptible de répondre à un grand nombre de questions qui se posent à nous avec insistance.

# Daniel Meurois-Givaudan

## LA DEMEURE DU RAYONNANT
*Mémoires égyptiennes*

Qui d'entre nous n'est pas fasciné ou intrigué par ce Pharaon hérétique et ivre de Soleil que fut Akhenaton ?

Il ne fait aucun doute que ce livre, dont il est la figure centrale, se démarque de tous ceux qui lui ont été consacrés jusqu'à présent.

En effet, son écriture n'est pas le fruit d'une recherche basée sur des données archéologiques, mais résulte d'une série de visions dans ce que certains appellent le Livre du Temps. Et c'est à ce titre qu'il est à la fois unique et surprenant. L'auteur, dont on connaît déjà particulièrement le best-seller "De Mémoire d'Essénien", s'est appliqué, une fois de plus, à se laisser guider au fil d'une existence antérieure pour redécouvrir la vie du personnage de Nagar-Têth, thérapeute et instructeur proche du Pharaon Akhenaton.

C'est par ses yeux que nous pénétrons ainsi dans une véritable et envoûtante fresque historique où des destins hors du commun se croisent, mettant en scène des êtres passionnés dans leur quête éperdue du Divin.

Bien que nous ramenant en Égypte, il y a quelque 3 500 ans, "La Demeure du Rayonnant" n'est pourtant pas un livre du passé. C'est une oeuvre intense et magique qui plonge profondément au coeur des grandes préoccupations humaines, celles qui jamais ne nous quittent, la recherche de notre identité, du bonheur, de l'amour, celle aussi de cette infinie Lumière dont il nous arrive si souvent d'avoir la nostalgie.

Livre révélateur, livre de feu, livre d'actualité, ce témoignage, qui se lit comme un roman, saura inspirer ceux qui veulent éclairer leur présent et en devenir les véritables artisans.

# Daniel Meurois-Givaudan

## VU D'EN HAUT
### ... un rendez-vous très particulier

MONTRÉAL, le coin d'une table de verre dans une salle à dîner... et voilà que l'incroyable arrive!

Imaginez qu'une voix, soudain, se mette à résonner au centre de votre crâne! Oh, pas une sensation diffuse ou cotonneuse! Non, une voix véritable, tendre, volontaire et puissante à la fois. Une voix qui ne laisse aucun doute sur sa réalité et qui se manifeste avec précision, un peu comme à l'aide d'un interrupteur qu'on actionnerait à volonté.

Imaginez aussi que vous la retrouviez régulièrement, cette voix, et que vous puissiez entamer avec elle un parfait dialogue!

C'est cet événement hors du commun qui est arrivé à Daniel Meurois durant toute une année et qui lui a permis de rédiger cet ouvrage saisissant à bien des égards.

*Vu d'en Haut* est le journal de bord audacieux de cette conversation avec un *Invisible* bien attentif à nous et à nos questionnements.

Maniant humour, sagesse et bon sens, la Présence amie s'y exprime au cours d'une passionnante interview menée par l'auteur afin de débroussailler et de simplifier une foule de notions souvent confuses pour nos esprits en quête de vérité.

C'est donc à un *rendez-vous* bien particulier auquel nous invite ce quinzième ouvrage de Daniel Meurois. On y découvrira d'étonnantes percées dans de tout nouveaux concepts qui nous précipiteront à une altitude vraiment différente, là où notre vie prend tout à coup une autre signification!

# Daniel Meurois-Givaudan

## VISIONS ESSÉNIENNES
*dans deux fois mille ans...*

Et si les Temps évangéliques n'avaient pas encore révélé toute leur richesse ? Après la publication de ces deux fresques désormais classiques que sont De mémoire d'Essénien et Chemins de ce temps-là, Daniel Meurois s'est à nouveau plongé dans les Annales akashiques, le livre du Temps, afin de compléter le témoignage déjà offert.

Ce texte restitue donc, avec la plus grande fidélité, certains enseignements secrets délivrés par le Christ, il y a deux mille ans, en les replaçant dans le contexte de la Palestine essénienne. On y redécouvre Marie-Madeleine, Marthe, et tant d'autres figures dont les présences marquent encore notre mémoire.

L'originalité de ce livre tient aussi au fait qu'il n'est pas la simple évocation d'un passé révolu.

Chacune des "visions" captées et revécues par l'auteur trouve en effet son prolongement dans notre époque. L'enseignement du Maître parmi les maîtres s'en voit ainsi actualisé et nous amène à une prise de conscience particulièrement ancrée dans le quotidien.

Bien que pouvant se lire comme un roman, ce témoignage différent s'adresse de façon à la fois tendre et incisive à cette partie de nous qui est de plus en plus assoiffée de vrai.

IMPRIMÉ AU CANADA